101 PLATOS LOW COST

Título original: *101 Budget Dishes*

Primera publicación en 2009 por BBC Books, un
sello de Ebury Publishing. Una división de Random
House Group.

© 2009, BBC Magazines, por las recetas
© 2009, BBC Magazines, por las fotografías
© 2009, Woodlands Book Ltd,
    por la edición original
© 2011, Random House Mondadori, S.A.
    Travessera de Gràcia, 47-49. 08021 Barcelona
© 2011, Julia Andrea Alquézar Solsona,
    por la traducción

Primera edición: febrero de 2011

Edición: Lorna Russel
Edición del proyecto: Laura Higginson
Diseño: Annette Peppis
Producción: Phil Spencer
Búsqueda de imágenes: Gabby Harrington

Fotocomposición: Compaginem

ISBN: 978-84-253-4600-2

Impreso en Gráficas 94, S.L.
Sant Quirze del Vallès (Barcelona)
Encuadernado en Reinbook

Depósito legal: B.741-2011

GR 46002

101 PLATOS LOW COST

Jane Hornby

Grijalbo

Sumario

Introducción   6

Introducción

Aunque ahora todo el mundo es mucho más consciente de lo que cuesta la comida, en la revista *Good Food* siempre nos hemos preocupado por promover la buena cocina a precios económicos. Y nuestra colección está llena de recetas que permiten recortar gastos sin perder sabor.

En este práctico libro encontrarás las claves para elaborar recetas rápidas y a buen precio: desde menús sustanciosos para toda la familia hasta ingeniosas ideas para llevarte de almuerzo y para aprovechar las sobras. Además, mientras obtienes más por tu dinero, con nuestras sugerencias personalizadas y los útiles análisis nutricionales sabrás exactamente lo que comes.

La cocina económica es inseparable de la compra de productos de temporada, así que saber cuándo está cada alimento en su mejor momento te será de gran ayuda.

Recuerda también que la cocina inteligente se basa en sacar el máximo partido de la despensa y de los productos congelados. Por supuesto, aprenderás asimismo a aprovechar los cortes más baratos de las piezas de carne.

No podemos acabar sin recordar que un tercio de toda la comida acaba en la basura, o lo que es lo mismo, un tercio del dinero que tanto te cuesta ganar. Por eso, si elaboras una lista de la compra con el libro *101 platos low cost* a mano, ahorrarás dinero (y reducirás las pérdidas) sin darte cuenta.

Jane Hornby
Revista *Good Food*

Tablas de conversión

NOTA PREVIA

- Los huevos utilizados serán de medida grande (L), a menos que se indique lo contrario.
- Lavar todos los alimentos frescos antes de prepararlos.
- Las recetas incluyen un análisis nutricional del «azúcar añadido», que se refiere al contenido total de azúcar añadido, incluso todos los azúcar añadidos naturales presentes en los ingredientes, excepto que se especifique otra cosa.

TEMPERATURA DEL HORNO

Gas	°C	°C convección	Temperatura
¼	110	90	Muy fría
½	120	100	Muy fría
1	140	120	Fría o suave
2	150	130	Fría o suave
3	160	140	Tibia
4	180	160	Moderada
5	190	170	Moderada caliente
6	200	180	Bastante caliente
7	220	200	Caliente
8	230	210	Muy caliente
9	240	220	Muy caliente

MEDIDAS DE LAS CUCHARADAS

Las cucharadas son rasas, salvo indicación contraria.

- 1 cucharadita = 5 ml
- 1 cucharada = 15 ml

RECETAS

La sutil fusión de sabores del queso y las cebollas transforma
las chuletas en un plato original.

Chuletas de cerdo con queso y cebolla

4 chuletas de cerdo
2 cucharaditas de aceite de oliva
1 cucharadita de mostaza inglesa
4 cucharadas de cebollas confitadas
50 g de queso chesire rallado u otro
    queso semicurado similar
1 cucharadita de tomillo fresco

20 minutos • 4 raciones

1 Calentar el gratinador al máximo. Poner las
chuletas en una cazuela, añadir aceite y sazonar.
Cocinar 6 minutos por cada lado, hasta que
estén doradas.
2 Dorar las cebollas picadas en una sartén y
añadirles un poco de azúcar. Untar cada chuleta
por un lado con un poco de mostaza y poner
encima 1 cucharada de cebollas. Mezclar el
queso y el tomillo, esparcir por encima de las
chuletas y dorar en el gratinador.

• Cada ración contiene: 378 kcal, 36 g de proteínas,
8 g de carbohidratos, 23 g de grasas, 9 g de grasas
saturadas, 0 g de fibra, 6 g de azúcar añadido y
0,56 g de sal.

Esta combinación de manzanas, salchichas y beicon es deliciosa y económica.

Salchichas con manzanas y beicon caramelizadas

8 lonchas de beicon ahumado
8 salchichas de cerdo de calidad
1 cucharada de aceite de girasol
2 manzanas de piel roja, cortadas
    en octavos
puré de patatas para acompañar

35 minutos • 4 raciones

1 Precalentar el horno a 200 °C. Envolver cada salchicha con una loncha de beicon. Calentar el aceite en una cazuela apta para el horno sobre la placa de la cocina, después dorar las salchichas envueltas en beicon. Meter en el horno y cocinar 20 minutos.
2 Añadir los trozos de manzana y asar todo durante otros 10 minutos, hasta que las salchichas estén hechas y las manzanas queden caramelizadas. Servir con puré de patatas.

• Cada ración contiene: 442 kcal, 22 g de proteínas, 14 g de carbohidratos, 34 g de grasas, 11 g de grasas saturadas, 1 g de fibra, 10 g de azúcar añadido y 2,72 g de sal.

Este gratinado de alubias es tan sabroso que encantará tanto a tus invitados vegetarianos como a los que no lo sean.

Gratinado de alubias blancas y calabaza

350 g de alubias blancas puestas
   a remojo en agua fría durante la noche
4 cucharadas de aceite de oliva
2 cebollas picadas
4 dientes de ajo picados finos
1-2 guindillas rojas sin semillas
   y picadas finamente
700 g de tomate triturado en lata
1 ramillete de hierbas aromáticas secas
425 ml de vino blanco
425 ml de caldo de verduras
700 g de calabaza pelada sin semillas
   y en trozos

PARA EL GRATINADO
50 g de pan rallado
25 g de nueces picadas
1 cucharada de romero picado
4 cucharadas de perejil picado

2¼ horas • 6 raciones

1 Cocer las alubias en una olla grande con suficiente agua para cubrirlas, durante 1 hora y hasta que estén tiernas y escurrir.
2 Calentar 2 cucharadas del aceite en una sartén grande y dorar las cebollas 10 minutos. Añadir el ajo, las guindillas, el puré de tomate, el ramillete de hierbas, el vino, el caldo, la sal y la pimienta, y llevar a ebullición. Cocer a fuego lento, sin tapar, 20 minutos. Luego, añadir la calabaza y cocinar 20 minutos más. Probar y añadir más sal si fuera necesario.
3 Precalentar el horno a 180 °C. Agregar las alubias a la salsa y pasar a una fuente para gratinar de 2½ litros, o a dos más pequeñas. Mezclar todos los ingredientes del gratinado junto con las 2 cucharadas de aceite y repartir por encima de las alubias. Dorar en el horno 30 minutos.

• Cada ración contiene: 428 kcal, 17 g de proteínas, 62 g de carbohidratos, 12 g de grasas, 2 g de grasas saturadas, 13 g de fibra, 18 g de azúcar añadido y 0,93 g de sal.

Los muslos de pollo enteros son mucho más baratos que las pechugas además de muy sabrosos. Acompaña este sustancioso plato con panecillos de pita tibios o arroz blanco.

Pollo con garbanzos

4 muslos de pollo
2 cucharadas de aceite de oliva
4 zanahorias cortadas en trozos grandes
3 chirivías cortadas en trozos grandes
1 cebolla cortada en trozos grandes
1 cucharada de especias marroquíes o una mezcla de especias
1 cucharadita de comino molido, cilantro y canela
450 g de garbanzos cocidos
400 g de tomate en lata
hojas de cilantro picado (opcional)

1 hora • 4 raciones

1 Precalentar el horno a 200 ºC. Poner en una fuente el pollo, el aceite y las verduras; salpimentar. Asar durante 40 minutos, removiendo a menudo.

2 Cuando el pollo y las verduras estén cocinados, servir el pollo en cuatro platos y mantener tibio. Después poner la fuente sobre un fuego fuerte en la cocina. Añadir los garbanzos y el tomate; calentar suavemente durante unos pocos minutos. Condimentar con el cilantro, si se desea, y servir con el pollo.

• Cada ración contiene: 590 kcal, 40 g proteínas, 37 g de carbohidratos, 32 g de grasas, 8 g de grasas saturadas, 10 g de fibra, 17 g de azúcar añadido y 2,12 g de sal.

Hay pocos platos mejores que un buen chile picante, cocinado a fuego lento, servido sobre una patata al horno o con un volcán de arroz. También podrías usarlo para preparar un pastel de carne picante.

Chile con carne

2 cucharadas de aceite de oliva
1 cebolla picada finamente
1 zanahoria picada finamente
1 ramita de apio picada finamente
500 g de ternera picada
½ o 1 cucharadita de guindilla roja
 en polvo o en escamas
2 dientes de ajo aplastados
1 vaso pequeño de leche
2 cucharaditas de hierbas variadas
 secas
800 g de tomate triturado en lata
1 vaso grande de vino blanco o caldo
2 cucharadas de puré de tomate
2-3 pimientos rojos asados en
 conserva (opcional)
400 g de alubias rojas cocidas

1½ horas • 4 raciones

1 Calentar el aceite en una cazuela grande con tapa que se ajuste bien. Añadir la cebolla, la zanahoria y el apio, tapar y freír 5 minutos, hasta que las verduras se doren y ablanden. Agregar la carne, removiendo con una cuchara de madera; freír a fuego bastante alto, moviendo continuamente, hasta que coja mucho color. Incorporar las guindillas, el ajo y las hierbas, y freír 1 minuto más.

2 Bajar el fuego, verter la leche, remover bien y dejar que se haga a fuego lento unos minutos, removiendo de vez en cuando, hasta que la leche casi se haya evaporado. Añadir los tomates, el vino (o caldo) y el puré de tomate; salpimentar ligeramente y llevar a ebullición. Bajar el fuego y dejar hervir 1 hora. Incorporar los pimientos (si se usan) y las alubias rojas, dejar cocinar a fuego lento 5 minutos más y servir.

• Cada ración contiene: 447 kcal, 37 g de proteínas, 27 g de carbohidratos, 20 g de grasas, 7 g de grasas saturadas, 8 g de fibra, 14 g de azúcar añadido y 2,17 g de sal.

Este sabroso pollo, que sirve de plato único, puede prepararse con antelación y recalentarlo cuando se vaya a comer. Acompáñalo con pan de ajo y una ensalada, o con unas rodajas de aguacate y zumo de lima.

Pollo con guindilla a la cazuela

2 cebollas grandes partidas por la mitad y en rodajas

2 cucharadas de aceite de oliva

250 g de chorizo sin piel y cortado en rodajas gruesas

4 pimientos rojos sin semillas y cortados en trozos grandes

800 g de tomate triturado en lata

2 pastillas de caldo de pollo

½ - 1 cucharadita de guindillas rojas en escamas

2 cucharaditas de orégano

16 muslos de pollo grandes sin piel y deshuesados

1¼ kg de alubias rojas cocidas

un manojo pequeño de cilantro picado para decorar

1½ hora • 8 raciones

1 Precalentar el horno a 160 °C. Freír las cebollas en el aceite durante 5 minutos en una cazuela apta para el horno. Añadir el chorizo y freír 2 minutos más. Incorporar los pimientos, los tomates, un vaso de agua, las pastillas de caldo, la guindilla y el orégano.

2 Poner los muslos de pollo en la salsa, llevar a una ebullición suave y apartar del fuego. Cubrir y cocinar en el horno durante 40 minutos. Añadir las alubias, remover y volver a meter en el horno durante 20 minutos más. Decorar con el cilantro.

• Cada ración contiene: 501 kcal, 58 g de proteínas, 30 g de carbohidratos, 18 g de grasas, 6 g de grasas saturadas, 9 g de fibra, 14 g de azúcar añadido y 3,16 g de sal.

Puedes sustituir el quorn por tofu firme si no encuentras este producto alimenticio de microproteína, obtenida a partir de un hongo.

Arroz pilaf vegetariano

3 cucharadas de aceite vegetal
1 cebolla grande picada
1 berenjena grande en dados
1 diente de ajo aplastado
3 cucharadas de pasta de curry
1 boniato grande en dados
250 g de zanahorias ralladas
250 g de alubias
350 g de arroz basmati
300 ml de leche de coco baja en grasas
200 g de espinacas
300 g de quorn o tofu cortado en tiras

45 minutos • 4 raciones

1 Calentar el aceite en una cazuela grande. Añadir la cebolla y pochar 5 minutos sin que llegue a oscurecerse. Incorporar la berenjena y cocinar 5 minutos; agregar el ajo y la pasta de curry 1 minuto antes del final de la cocción.
2 Añadir el boniato, las zanahorias, las alubias, el arroz, 700 ml de agua y la leche de coco. Llevar a ebullición, tapar y dejar hervir 15 minutos.
3 Echar las espinacas y las tiras de quorn o tofu a la cazuela, remover, tapar y dejar que repose fuera del fuego 5 minutos. Remover los granos de arroz con el tenedor y servir.

• Cada ración contiene: 699 kcal, 22,7 g de proteínas, 106,2 g de carbohidratos, 23,6 g de grasas, 8,8 g de grasas saturadas, 12,6 g de fibra, 18,5 g de azúcar añadido y 2,26 g de sal.

Esta deliciosa salsa para pasta se elabora básicamente con saludables verduras, pero está tan rica que tus comensales ni siquiera se enterarán. Es una receta sabrosa y económica.

Salsa boloñesa

2 cucharaditas de aceite de oliva
1 cebolla picada
4 zanahorias picadas
2 calabacines picados
100 g de champiñones
1 diente de ajo aplastado
400 g de tomate triturado en lata
1 cucharada de salsa worcestershire
½ kg de carne de ternera picada
un puñado de hojas de albahaca
1 cucharada de concentrado de carne granulado
400 g de espaguetis

45 minutos • 4-6 raciones

1 Calentar el aceite en una sartén grande. Cocinar a fuego lento la cebolla unos minutos. Añadir las zanahorias, los calabacines y champiñones y freír 5 minutos más. Incorporar el ajo en el último minuto.
2 Agregar los tomates, la salsa worcestershire, 300 ml de agua hirviendo y sazonar. Llevar a ebullición, tapar y cocinar a fuego lento 15 minutos. Mientras, freír la carne picada en una sartén antiadherente 10 minutos, removiendo.
3 Añadir la mayoría de las hojas de albahaca a las de verduras y mezclar. Verter la salsa, junto con el concentrado de carne, sobre la carne picada y remover. Tapar y cocinar a fuego lento 15 minutos.
4 Cocinar la pasta siguiendo las instrucciones del envase. Cuando esté lista, escurrirla y reservar un vasito de agua. Mezclar la salsa con la pasta y el agua. Servir con hojas de albahaca.

• Cada ración contiene: 597 kcal, 43 g de proteínas, 89 g de carbohidratos, 10 g de grasas, 3 g de grasas saturadas, 7 g de fibra, 16 g de azúcar añadido y 0,9 g de sal.

Aprovecha para utilizar unas cuantas verduras en este plato tan delicioso como económico.

Kebabs de pollo al pesto y pasta con verduras asadas

350 g de calabaza moscada en dados
2 calabacines en dados
1 cebolla picada
1 pimiento rojo cortado
   en trozos pequeños
4 ramitas tomillo sin hojas
2 cucharadas de aceite de oliva
4 pechugas de pollo deshuesadas
   y sin piel en dados
el zumo de 1 limón
4 cucharadas de salsa pesto
16 tomates cherry
400 g de macarrones

1 hora • 4 raciones

1 Precalentar el horno a 180 °C. Poner todas las verduras en una fuente grande de horno, esparcir el tomillo por encima y sazonar. Rociar con 2 cucharadas de aceite y hornear 40 minutos; remover a mitad de la cocción.
2 Mientras tanto, mojar 8 brochetas de madera con agua. Poner el pollo en una fuente honda y rociar con el zumo de limón y el pesto.
3 Pinchar los trozos de pollo y los tomates enteros en las brochetas; ponerlos en una fuente de horno. Rociar con el resto del aceite de oliva y asar durante 20 minutos, dándole la vuelta una vez, hasta que el pollo esté hecho por dentro. Cocinar la pasta siguiendo las instrucciones del envase.
4 Mezclar bien las verduras asadas y la pasta; servir junto con los kebabs de pollo al pesto.

• Cada ración contiene: 668 kcal, 51,8 g de proteínas, 90,6 g de carbohidratos, 13,5 g de grasas, 3,1 g de grasas saturadas, 6,5 g de fibra, 12,6 g de azúcar añadido y 0,45 g de sal.

Sigue estos sencillos pasos para preparar un plato clásico que gustará a toda la familia.

Macarrones con queso

700 ml de leche entera

1 cebolla partida por la mitad

1 diente de ajo

1 hoja de laurel (opcional)

350 g de macarrones

50 g de mantequilla y un poco más para engrasar la fuente

50 g de harina

175 de queso cheddar rallado

1 cucharadita de mostaza

50 g de parmesano (o más cheddar) rallado

50 g de pan rallado

45 minutos • 4 raciones

1 Llevar al punto de ebullición la leche con la cebolla, el ajo y la hoja de laurel, apartar del calor, dejar reposar 10 minutos y colar.

2 Cocer los macarrones siguiendo las instrucciones del envase. Precalentar el horno a 190 °C y untar con mantequilla una fuente grande para hornear. Fundir la mantequilla en un cazo. Cuando empiece a espumar, añadir la harina. Remover 1 minuto a fuego suave.

3 Incorporar lentamente la leche procurando que no queden grumos. Dejar hervir a fuego lento 3-4 minutos, removiendo a menudo, hasta que la salsa espese. Apartar del fuego y agregar los 175 g de cheddar y la mostaza; sazonar.

4 Añadir la pasta y pasarlo todo a la fuente de horno. Espolvorear el parmesano junto con el pan rallado y hornear 15-20 minutos, hasta dorar.

• Cada ración contiene: 860 kcal, 36 g de proteínas, 97 g de carbohidratos, 40 g de grasas, 24 g de grasas saturadas, 4 g de fibra, 13 g de azúcar añadido y 1,72 g de sal.

Las albóndigas de cerdo son un buen cambio respecto a las de ternera, y también son más económicas.

Albóndigas de cerdo con frutas

300 g de carne de cerdo picada
1 cebolla pequeña picada
1 cucharadita de hierbas variadas
2 cucharadas de chutney de cebolla
300 ml de caldo de verduras caliente
2 manzanas rojas sin corazón en
    gajos gruesos
puré de patatas o patatas al horno para
    acompañar

20-25 minutos • 4 raciones

1 Mezclar la carne, la cebolla y las hierbas. Con las manos húmedas, dividir la mezcla en 16 bolas. Calentar una sartén grande, antiadherente, y freír en varias tandas las albóndigas durante 2 minutos a fuego fuerte.
2 Añadir a la sartén el chutney de cebolla, el caldo y las manzanas. Llevar a ebullición. Cocinar durante unos 15 minutos hasta que las manzanas y las albóndias estén hechas y la salsa se espese. Servir las albóndigas y la salsa sobre el puré o con patatas asadas.

• Cada ración contiene: 235 kcal, 11 g de proteínas, 19 g de carbohidratos, 13 g de grasas, 6 g de grasas saturadas, 3 g de fibra, 13 g de azúcar añadido y 1,54 g de sal.

Esta receta es un clásico de la cocina low cost, y si haces la masa, resulta aún más barata. Para que suba bien, el recipiente debe estar muy caliente antes de poner la masa.

Salchichas con pudin de Yorkshire

100 g de harina y 1 cucharada más
   para el concentrado de carne
½ cucharadita de mostaza
1 huevo
300 ml de leche
3 ramitas de tomillo (solo las hojas)
8 salchichas de cerdo
2 cucharadas de aceite de girasol
2 cebollas en rodajas
500 ml de caldo de ternera

1 hora • 4 raciones

1 Precalentar el horno a 200 °C. Mezclar la harina, la mostaza y una pizca de sal en un cuenco grande. Hacer un hueco y poner el huevo; verter 100 ml de leche. Mezclar bien para hacer una masa suave. Añadir la leche restante y las hojas de tomillo.

2 Colocar las salchichas en una fuente de 20 x 30 cm con 1 cucharada de aceite. Hornear 15 minutos. Retirar las salchichas.

3 Rápidamente, extender la masa en la fuente caliente, hornear 40 minutos hasta que se haga por dentro, haya subido y esté crujiente.

4 En una sartén, dorar las cebollas en el aceite restante a fuego medio 20 minutos. Añadir la cucharada de harina, cocinar, removiendo, 2 minutos. Gradualmente, agregar el caldo para hacer un concentrado de carne. En cuanto espese, sazonar, y servir con las salchichas y el pudin.

• Cada ración contiene: 520 kcal, 25 g de proteínas, 37 g de carbohidratos, 31 g de grasas, 9 g de grasas saturadas, 2 g de fibra, 11 g de azúcar añadido y 2,22 g de sal.

Si quieres hacer una versión más saludable, sustituye el cordero por carne de pavo picada, que es una buena fuente de proteínas y bajo en grasas saturadas.

Albóndigas de cordero con arroz y guisantes

400 g de carne de cordero picada
3 dientes de ajo aplastados
2 cucharaditas de comino molido
300 g de arroz basmati
caldo de cordero o de verduras suficiente para cubrir el arroz (puede ser en pastilla)
300 g de guisantes congelados
la ralladura de piel de 2 limones y el zumo de 1 limón

PARA EL YOGUR CON PEPINO
½ pepino picado fino o rallado
150 g de yogur natural
un manojo pequeño de hojas de menta troceadas

30 minutos • 4 raciones

1 Mezclar el cordero con la mitad del ajo y 1 cucharadita del comino, sazonar y formar 16 bolas con las manos húmedas. Calentar una sartén grande, freír las albóndigas unos 8 minutos. Sacar de la sartén y reservar. Echar el arroz, el comino y ajo restantes. Freír 30 segundos, removiendo, y verter suficiente caldo para cubrir. Tapar y hervir a fuego lento 10 minutos o hasta que absorba el líquido.
2 Añadir los guisantes, volver a poner las albóndigas en la sartén hasta que se calienten y los guisantes estén tiernos. Mientras tanto, mezclar el pepino, el yogur y la mitad de la menta. Sazonar. Por último, añadir al arroz la ralladura de limón y el zumo, una pizca de sal y la menta restante. Servir con una buena cucharada de yogur con pepino frío.

• Cada ración contiene: 496 kcal, 33 g de proteínas, 72 g de carbohidratos, 10 g de grasas, 4 g de grasas saturadas, 4 g de fibra, 5 g de azúcar añadido y 1,34 g de sal.

Con la carne de unas salchichas de buena calidad conseguiremos elaborar sabrosos platos sin tener que añadir hierbas, especias o condimentos.

Salsa boloñesa rápida de salchichas

6 salchichas de buena calidad sin la piel
1 cucharadita de semillas de hinojo (opcional)
250 g de champiñones en láminas
150 ml de vino tinto (opcional)
650 g de salsa de tomate en bote
300 g de macarrones u otro tipo de pasta
parmesano rallado o en virutas para acompañar (opcional)

20 minutos • 4 raciones

1 Calentar una sartén grande y ancha, desmenuzar la carne de las salchichas y las semillas de hinojo (no es necesario añadir aceite). Freír durante unos minutos o hasta que la carne se dore y suelte la grasa, removiendo bien para separar la carne. Añadir los champiñones y sofreír durante unos minutos hasta que se ablanden. Verter el vino; hervir 1 minuto y añadir la salsa de tomate; llevar a ebullición.
2 Mientras tanto, cocer la pasta siguiendo las instrucciones del envase. Cuando esté lista, escurrir y echar en la salsa. Mezclar bien y repartir en cuatro platos, espolvorear un poco de parmesano por encima, si se quiere, antes de servir.

• Cada ración contiene: 657 kcal, 27 g de proteínas, 75 g de carbohidratos, 30 g de grasas, 8 g de grasas saturadas, 5 g de fibra, 15 g de azúcar añadido y 2,98 g de sal.

Cocinados a fuego lento, los cortes de carne para guisar quedan muy tiernos e incluso más sabrosos que un bistec u otros cortes caros.

Cordero con crujiente de hierbas

1 cucharada de aceite de girasol
200 g de beicon ahumado picado
900 g de cordero para guisar
350 g de cebollas pequeñas
5 zanahorias cortadas en trozos grandes
350 g de champiñones
3 cucharadas de harina
3 hojas de laurel
un manojo de tomillo
350 ml de vino tinto
350 ml de caldo de cordero o de ternera
un chorro de salsa worcestershire

PARA EL CRUJIENTE DE HIERBAS
350 g de harina con levadura
4 cucharadas de hierbas variadas
    picadas (tomillo, romero y perejil)
200 g de mantequilla fría en dados
zumo de 1 limón
5 hojas de laurel
1 huevo batido para pintar

3 horas • 6 raciones

1 Precalentar el horno a 160 °C. En una cazuela resistente al fuego, calentar el aceite y saltear el beicon 5 minutos y añadir la harina. Poner la carne, cortada en trozos grandes, en la cazuela con las hierbas, el vino, el caldo y la salsa worcestershire. Sazonar, tapar y guisar durante 1 hora y 20 minutos.

2 Preparar el crujiente justo antes de que se acabe de hacer el cordero. Echar la harina, las hierbas y condimentos en un cuenco grande. Incorporar la mantequilla. Hacer un hueco, añadir el zumo de limón y 3 cucharadas de agua. Amasar hasta obtener una masa suave. Extender con un rodillo hasta que tenga 5 mm de grosor y cortar círculos con un cortapastas de 7 cm. Poner estos y las hojas de laurel por encima del guiso. Pintar con huevo y hornear 45 minutos hasta que estén dorados.

• Cada ración contiene: 963 kcal, 45 g de proteínas, 59 g de carbohidratos, 60 g de grasa, 31 g de grasas saturadas, 5 g de fibra, 9 g de azúcar añadido y 2,89 g de sal.

Alimentar a la familia por menos

Esta receta encantará a los niños. Sírvela acompañada
de tu verdura favorita y conseguirás un menú completo.

Pasteles de carne sabrosos

PARA EL RELLENO

2 cebollas picadas

2 cucharadas de aceite de oliva

½ kg de carne de ternera picada

2 pastillas de caldo de carne

3 cucharadas de concentrado de carne

400 g de alubias cocidas

PARA LA COBERTURA

900 g de patatas grandes en cuartos

3 zanahorias medianas cortadas

25 g de mantequilla

un buen chorro de leche

40 g de queso cheddar curado rallado

4 tomates pequeños en cuartos

floretes de brócoli o guisantes para
    acompañar

1½ hora • 4 raciones

1 Precalentar el horno a 180 °C. Freír las
cebollas en el aceite 5 minutos. Añadir la carne
picada, removiendo; dorar. Echar un vaso de
agua, las pastillas de caldo y el concentrado de
carne. Tapar y hervir a fuego lento 10 minutos,
removiendo de vez en cuando.

2 Cocer las patatas y las zanahorias juntas en
agua con sal unos 15 minutos. Escurrir y volver
a poner en la olla con la mantequilla y la leche;
después triturar hasta obtener un puré homogéneo.

3 Añadir las alubias a la mezcla de carne,
cocinar a fuego lento 2 minutos. Poner en 4
moldes pequeños de pastel. Repartir por encima
el puré. Poner los moldes en una bandeja de
horno y agregar el queso y los tomates por
encima. Hornear 35 minutos. Servir con brócoli
o guisantes.

• Cada ración contiene: 634 kcal, 42 g de proteínas,
57 g de carbohidratos, 28 g de grasas, 12 g de grasas
saturadas, 9 g de fibra, 15 g de azúcar añadido y
3,65 g de sal.

No hay nada mejor que un estofado de salchichas: es un plato reconfortante y riquísimo.

Estofado de salchichas con tostadas de ajo

8 salchichas bajas en grasa
1 pimiento amarillo sin semillas
    y picado
4 cebollas rojas cortadas en gajos
400 g de tomate triturado en lata
250 ml de caldo de verduras caliente
1 cucharada de azúcar
10 g de albahaca

PARA LAS TOSTADAS
400 g de pan
25 g de queso tierno bajo en grasa
1 cucharada de mantequilla
2 dientes de ajo aplastados
10 g de albahaca picada

45 minutos • 4 raciones

1 Precalentar el horno a 200 ºC. Poner las salchichas, el pimiento y las cebollas en una fuente de horno y asar durante 20 minutos.
2 Bajar el horno a 180 ºC; añadir los tomates y el caldo por encima de las salchichas. Agregar el azúcar y la mayoría de la albahaca, y mezclar bien. Hornear 20 minutos más.
3 Tostar ligeramente el pan por ambos lados. Mezclar el queso, la mantequilla, el ajo y la albahaca picada; untar las tostadas por un lado con esta mezcla. Pasar por la plancha brevemente hasta que la mezcla esté fundida y dorada.
4 Servir las tostadas de ajo con el estofado de salchichas y espolvorear la albahaca restante por encima.

• Cada ración (con tostadas) contiene: 568 kcal, 28 g de proteínas, 78 g de carbohidratos, 18 g de grasa, 7 g de grasas saturadas, 6 g de fibra, 19 g de azúcar añadido y 4,24 g de sal.

Las alubias aportan un toque sabroso a este plato de estilo francés.
Para hacerlo un poco más especial, añade un vaso
de vino con el caldo.

Pollo estofado con alubias

2 cucharadas de aceite de oliva

8 muslos de pollos deshuesados y sin
piel

2 cebollas picadas

2 dientes de ajo picados

1 cucharadita de tomillo seco

600 ml de caldo de pollo o de verduras

800 g de alubias blancas largas
cocidas

un puñado de perejil

1 hora • 4 raciones

1 Calentar el aceite en una cazuela grande con tapa, poner el pollo y saltear. Añadir las cebollas, el ajo y el tomillo, y freír durante 2 minutos más. Verter el caldo, y 150 ml de agua, salpimentar. Llevar a ebullición y cocinar 40 minutos, medio cubierto, hasta que el pollo esté hecho.

2 Repartir las alubias por la cazuela y calentar brevemente. Picar el perejil y esparcirlo por encima antes de servir.

• Cada ración contiene: 444 kcal, 54,4 g de proteínas, 29 g de carbohidratos, 13,2 g de grasas, 2,7 g de grasas saturadas, 8,2 g de fibra, 6,9 g de azúcar añadido y 2,48 g de sal.

No te limites a disfrutar de la comida tailandesa en los restaurantes; después de probar un curry aromático preparado por ti, te engancharás al curry casero.

Curry fácil de gambas tailandés

1 cucharada de aceite vegetal
1 cebolla picada
1 cucharadita de jengibre fresco rallado
1-2 cucharaditas de pasta de curry rojo
400 g de tomates triturados en lata
50 g de leche de coco
400 g de gambas congeladas cocidas
arroz y hojas de cilantro picadas para
  acompañar (opcional)

20 minutos • 4 raciones

1 Calentar el aceite en una olla mediana. Poner la cebolla y el jengibre, y cocinar durante unos minutos, hasta que se ablanden. Echar la pasta de curry y cocinar 1 minuto más. Verter por encima los tomates triturados y la leche de coco. Llevar a ebullición y dejar borbotear a fuego lento 10 minutos. Añadir un poco de agua caliente si la mezcla se espesa demasiado.
2 Echar las gambas, cocinar 5 minutos más, hasta que se calienten por dentro. Servir con arroz y con un poquito de perejil picado por encima, si se quiere.

• Cada ración contiene: 180 kcal, 20 g de proteínas, 6 g de carbohidratos, 9 g de grasas, 4 g de grasas saturadas, 1g de fibra, 5 g de azúcar añadido y 0,86 g de sal.

Te encantará el sabor fresco de esta salsa. Puedes añadirle guindillas, champiñones, beicon, anchoas u olivas; tú eliges.

Espaguetis con salsa de tomate y albahaca

400 g de espaguetis
1 cucharada de aceite de oliva
1 diente de ajo aplastado
400 g de tomate triturado en lata
1 cucharadita de caldo vegetal en polvo o ½ pastilla de caldo desmenuzada
1 cucharada de concentrado de tomate
1 cucharadita de azúcar
unas cuantas hojas de albahaca

20 minutos • 4 raciones

1 Hervir los espaguetis siguiendo las instrucciones del envase.
2 Calentar el aceite en una sartén, añadir el ajo y freír a fuego lento 1 minuto. Incorporar los demás ingredientes, excepto la albahaca, y llevar a ebullición. Bajar el fuego y seguir cocinando sin tapar 5 minutos, removiendo de vez en cuando. Para acabar, trocear las hojas de albahaca y añadirlas a la salsa.
3 Escurrir los espaguetis, reservando un poco de agua de la cocción. Añadir la pasta y el agua reservada a la salsa y servir.

• Cada ración contiene: 394 kcal, 13,6 g de proteínas, 79 g de carbohidratos, 4,8 g de grasa, 0,7 g de grasas saturadas, 4,1g de fibra, 7,5 g de azúcar añadido y 0,29 g de sal.

Este sabroso plato de pescado tiene altas dosis de omega 3,
y proporciona 2 de las 5 raciones de verduras diarias recomendadas.

Filete de pescado con puré de soja y albahaca

4 ramitas pequeñas de tomates cherry
1 cucharada de aceite de oliva
4 filetes de unos 150 g pescado
    (lenguado o perca, por ejemplo)
la ralladura de 1 limón y el zumo de ½
500 g de habas de soja congeladas
2 dientes de ajo
un manojo de albahaca con las hojas
    y los tallos separados
200 ml de caldo de pollo o de verduras

25 minutos • 4 raciones

1 Precalentar el horno a 180 °C. Poner los tomates en una placa de horno con un chorrito de aceite y sazonar. Hornear 5 minutos, hasta que la piel empiece a rajarse. Añadir el pescado, poner por encima la mayoría de la ralladura de limón y volver a sazonar; echar un poco más de aceite. Hornear 8-10 minutos.

2 Mientras, cocer las habas de soja en una olla de agua hirviendo con sal 3 minutos. Escurrir, echar en un robot de cocina con el aceite restante, el ajo, los tallos de albahaca, el zumo de limón y el caldo. Triturar hasta obtener un puré espeso. Sazonar.

3 Repartir los tomates y el puré de soja en cuatro platos, poner encima el pescado y decorar con las hojas de albahaca y la ralladura de limón restante por encima.

• Cada ración contiene: 372 kcal, 44 g de proteínas, 17 g de carbohidratos, 15 g de grasas, 3 g de grasas saturadas, 6 g de fibra, 3 g de azúcar añadido y 0,5 g de sal.

Los ñoquis son un cambio delicioso respecto a la pasta y las patatas. Los encontrarás en casi todos los supermercados y podrás preparar un sustancioso plato familiar.

Ñoquis con tomate al horno

1 cucharada de aceite de oliva
1 cebolla picada
1 pimiento rojo sin semillas y picado finamente
1 diente de ajo aplastado
400 g de tomate triturado en lata
500 g de ñoquis
un manojo de hojas de albahaca partidas
60 g de mozzarella en bola troceada

30 minutos • 4 raciones

1 Poner el gratinador al máximo. Calentar el aceite en una sartén grande, y saltear la cebolla y el pimiento 5 minutos. Añadir el ajo y freír 1 minuto; echar el tomate y los ñoquis, y cocinar a fuego lento 10-15 minutos, removiendo ocasionalmente, hasta que los ñoquis estén en su punto y la salsa se haya espesado. Sazonar, mezclar la albahaca y pasar a una fuente grande de horno.
2 Esparcir la mozzarella y gratinar 5-6 minutos, hasta que el queso forme burbujas y se dore.

• Cada ración contiene: 285 kcal, 10 g de proteínas, 50 g de carbohidratos, 7 g de grasa, 3 g de grasas saturadas, 4 g de fibra, 8 g de azúcar añadido y 1,64 g de sal.

Dale un toque picante al pollo con un poco de chorizo. Mientras se hace el pollo, el chorizo suelta su grasa y aporta al plato un delicioso sabor a pimentón y ajo.

Pollo con chorizo y boniatos picantes

4 boniatos grandes pelados y cortados
   en gajos
1 cucharadita de aceite de oliva
1 cucharadita de guindilla en escamas
12 rodajas finas de chorizo
4 pechugas de pollo sin piel
   deshuesadas
unas ramitas de tomillo o 1 cucharadita
   de tomillo seco

35 minutos • 4 raciones

1 Precalentar el horno a 200 °C. Poner los boniatos en una bandeja de horno grande. Rociar con el aceite, esparcir la guindilla y sazonar. Asar 10 minutos, sacar del horno y bajar la temperatura a 180 °C.
2 Poner 3 rodajas de chorizo alrededor de cada pechuga de pollo y sujetar con un palillo. Colocar el pollo en la bandeja de horno con los gajos de boniato. Esparcir las hojas de tomillo por encima y hornear durante 20 minutos más, hasta que el pollo esté dorado, dándole la vuelta a mitad de la cocción.

• Cada ración contiene: 422 kcal, 39 g de proteínas, 54 g de carbohidratos, 7g de grasas, 2 g de grasas saturadas, 6 g de fibra, 15 g de azúcar añadido y 0,66 g de sal.

La salsa barbacoa es muy fácil de hacer y queda fabulosa con carne de cerdo y una jugosa mazorca de maíz asada con mantequilla.

Filetes de cerdo en salsa barbacoa con maíz

4 cucharadas de ketchup

2 cucharadas de azúcar mascabado

1 cucharada de vinagre de vino blanco

1 cucharadita de pimentón dulce

4 filetes de lomo de cerdo sin grasa

4 mazorcas de maíz

1 cucharada de mantequilla

ensalada verde para acompañar

20 minutos • 4 raciones

1 Poner a hervir agua en una olla grande para el maíz. Preparar la salsa mezclando el ketchup, el azúcar y el vinagre con la mitad del pimentón.

2 Calentar una sartén antiadherente, cocinar el cerdo 3-4 minutos por cada lado. Echar la salsa por encima y terminar de hacer los filetes en ella.

3 Mientras tanto, poner el maíz en el agua hirviendo y cocinar 5-6 minutos, hasta que esté tierno. Mezclar el pimentón restante con la mantequilla en un cuenco resistente al calor; poner en el microondas a potencia alta 15-20 segundos, hasta fundir (también puede hacerse al fuego en un cazo pequeño). Escurrir el maíz, echar la mantequilla por encima y servir junto con los filetes de cerdo y ensalada verde.

• Cada ración contiene: 320 kcal, 30 g de proteínas, 30 g de carbohidratos, 10 g de grasas, 4 g de grasas saturadas, 2 g de fibra, 14 g de azúcar añadido y 0,88 g de sal.

Aquí tienes una prueba de que los currys cremosos no tienen por qué perjudicar tu silueta. Sírvelo con arroz basmati, y con cilantro y almendras por encima.

Curry cremoso de berenjenas

2 cebollas troceadas

4 cm de jengibre fresco rallado

4 cucharadas de almendras tostadas laminadas, más 1 cucharada para decorar

1 cucharada de curry en polvo

1 manojo pequeño de cilantro con los tallos y las hojas separadas

2 cucharaditas de aceite de oliva

2 berenjenas cortadas en trozos grandes

200 g de yogur griego

400 ml de agua caliente

arroz basmati para acompañar

30 minutos • 4 raciones

1 Triturar las cebollas, el jengibre, las 4 cucharadas de almendras, el curry en polvo y los tallos de cilantro en un robot de cocina pequeño para hacer una pasta (añadir un poco de agua si es necesario). Hervir el agua en un cazo.

2 Calentar el aceite en una sartén y freír las berenjenas durante 5 minutos, hasta que estén tostadas. Sacarlas con una espumadera y reservar. Añadir la pasta de cebolla a la sartén y cocinar unos minutos, removiendo hasta que la cebolla se ablande. Volver a poner las berenjenas en la sartén, con el yogur y el agua caliente. Mezclar y cocinar a fuego lento 10-15 minutos hasta que las berenjenas estén tiernas. Sazonar bien, esparcir la otra cucharada de almendras y las hojas de cilantro picadas, y servir con arroz basmati.

• Cada ración contiene: 190 kcal, 8 g de proteínas, 11 g de carbohidratos, 13 g de grasas, 4 g de grasas saturadas, 6 g de fibra, 8 g de azúcar añadido y 0,15 g de sal.

Asa unas patatas y calienta unas cuantas alubias para acompañar este sencillo almuerzo o cena.

Setas silvestres al horno

2 cucharadas de aceite de oliva
4 setas silvestres grandes
4 lonchas de jamón cocido de buena
    calidad
4 huevos

30 minutos • 2 raciones (fáciles
de doblar)

1 Precalentar el horno a 200 °C. Engrasar con un chorrito de aceite de oliva el fondo de una fuente de horno de cerámica y distribuir las setas. Rociar con el aceite restante y sazonar. Hornear durante 15 minutos y sacar del horno.
2 Poner las lonchas de jamón cocido entre las setas. Cascar los huevos encima de las lonchas de jamón, volver a meter en el horno 10 minutos, hasta que la clara del huevo quede blanca y la yema no se haya cuajado del todo. Servir directamente en la fuente.

• Cada ración contiene: 379 kcal, 30 g de proteínas, 1 g de carbohidratos, 28 g de grasas, 6 g de grasas saturadas, 3 g de fibra, 1 g de azúcar añadido y 1,79 g de sal.

Un poco de chorizo transforma unos ingredientes muy corrientes de la despensa en un plato principal que no te cansarás de preparar.

Arroz frito estilo paella

300 g de arroz basmati
1 cucharada de aceite vegetal
2 chorizos pequeños en rodajas
1 cebolla picada
1 diente de ajo picado
½ cucharadita de cúrcuma
200 g de gambas cocidas congeladas
100 g de guisantes congelados
150 ml de agua hirviendo
1 limón en gajos para acompañar

35 minutos • 4 raciones

1 Lavar el arroz hasta que el agua salga limpia, poner en una olla, cubrir con un dedo de agua fría y llevar a ebullición. Sazonar, tapar y cocer a fuego lento 10 minutos, hasta que el arroz absorba el líquido. Apartar del calor y dejar reposar 10 minutos. Remover con un tenedor.
2 Calentar aceite en una sartén. Echar el chorizo, la cebolla y el ajo; cocinar un par de minutos, hasta que se ablanden. Añadir la cúrcuma, y después el arroz, las gambas y los guisantes; agregar el agua hirviendo. Cocinar hasta que todo se caliente. Servir con los gajos de limón.

• Cada ración contiene: 347 kcal, 20 g de proteínas, 50 g de carbohidratos, 9 g de grasas, 2 g de grasas saturadas, 2 g de fibra, 3 g de azúcar añadido y 1,19 g de sal.

Hacer una pizza no lleva mucho más tiempo que pedir una, y los niños
se divertirán mucho preparándola.

Pizza perfecta

PARA LA BASE

300 g de harina de fuerza para pan
y un poco más para trabajar la masa
1 cucharadita de levadura rápida
1 cucharadita de sal
200 ml de agua tibia
1 cucharada de aceite de oliva y un poco
más para echar por encima
125 g de mozzarella de bola en rodajas
un puñado de queso cheddar
o parmesano rallado
un puñado de tomates cherry partidos
por la mitad

PARA LA SALSA DE TOMATE

100 ml de concentrado de tomate
1 manojo de albahaca fresca
o 1 cucharadita si se usa seca
y unas cuantas hojas más para
decorar (opcional)
1 diente de ajo aplastado

30 minutos • 4 raciones (2 pizzas)

1 Mezclar la harina, la levadura y la sal en un
cuenco. Hacer un pozo, verter en él el agua tibia
y el aceite de oliva. Mezclar bien y amasar sobre
una superficie ligeramente enharinada. 5 minutos.
2 Mezclar el concentrado de tomate, la albahaca
y el ajo para la salsa, y sazonar
3 En una superficie enharinada, extender la
masa y formar dos círculos finos de unos 25 cm
de diámetro. Poner sobre bandejas para hornear
enharinadas. Precalentar el horno a 220 °C.
Poner una placa de horno en la parte superior del
horno.
4 Extender la salsa sobre las bases, esparcir el
queso y los tomates por encima, echar un
chorrito de aceite y sazonar. Hornear en la placa
precalentada 8-10 minutos. Servir con las hojas
de albahaca.

• Cada ración contiene: 431 kcal, 19 g de proteínas,
59 g de carbohidratos, 15 g de grasas, 7 g de grasas
saturadas, 3 g de fibra, 2 g de azúcar añadido y
1,87 g de sal.

A tu familia le encantarán estas patatas al horno.
Puedes prepararlas la noche anterior y gratinarlas 20 minutos
antes de comer.

Patatas rellenas de carne

2 cucharadas de mantequilla
1 cebolla grande picada
½ kg de ternera picada
500 ml de caldo de ternera caliente
1 cucharada de salsa worcestershire
2 cucharadas de tomate triturado
4 patatas grandes cocidas, hechas
    en el horno o el microondas
2 puñados generosos de queso
    cheddar rallado
tu verdura favorita para acompañar

1 hora • 4 raciones

1 Precalentar el horno a 180 °C. Fundir la mantequilla en una sartén antiadherente. Cocinar la cebolla 3-4 minutos, subir el fuego y añadir la carne. Freír 3-4 minutos más, hasta que la ternera se oscurezca. Añadir el caldo, la salsa worcestershire, el tomate triturado y sazonar. Cocinar 15-20 minutos, hasta que la carne esté tierna y la salsa haya espesado.

2 Para montar el plato, cortar las patatas por la mitad a lo largo y vaciar la pulpa en un cuenco pequeño, dejando la piel intacta. Triturar la pulpa con la mantequilla restante y sazonar bien. Repartir la carne entre las patatas vaciadas y cubrir con el puré. Pasar las patatas a una fuente de horno, espolvorear el queso por encima y hornear 20 minutos, hasta que se doren. Servir con la verdura elegida.

• Cada ración contiene: 779 kcal, 50 g de proteínas, 79 g de carbohidratos, 31 g de grasa, 15 g de grasas saturadas, 7g de fibra, 9 g de azúcar añadido y 2,43 g de sal.

Estas saludables alubias son baratas y están riquísimas. Los gajos de patata son un acierto seguro y combinan con muchos platos.

Alubias con patatas especiadas

1 cucharadita de aceite
1 cebolla partida por la mitad y en rodajas finas
2 lonchas de beicon troceadas
1 cucharadita de azúcar (mejor moreno)
400 g de tomate triturado en lata
200 ml de caldo de verduras (de pastilla)
400 g de alubias, blancas o rojas cocidas

PARA LAS PATATAS
1 cucharada de harina (normal o con levadura)
½ cucharadita pimienta de cayena, pimentón dulce o guindilla suave en polvo
1 cucharadita de hierbas variadas secas (opcional)
2 patatas al horno cortado en 8 trozos
2 cucharadas de aceite

45 minutos • 2 raciones (fáciles de doblar)

1 Precalentar el horno a 180 °C. Para preparar las patatas, mezclar la harina, la cayena y las hierbas (si se usan), salpimentar y mezclar con las patatas y el aceite. Poner en una fuente para asar y hornear durante 35 minutos hasta que estén crujientes y hechas por dentro.
2 Mientras tanto, calentar el aceite en una sartén antiadherente, freír a fuego lento la cebolla y el beicon 5-10 minutos, hasta que las cebollas se ablanden y empiecen a dorarse. Añadir el azúcar, el tomate, el caldo y sazonar a gusto; dejar hervir la salsa 5 minutos. Echar las alubias y cocinar 5 minutos más, hasta que la salsa se espese. Servir con las patatas.

• Cada ración contiene: 399 kcal, 19 g de proteínas, 60 g de carbohidratos, 11 g de grasas, 2 g de grasas saturadas, 12 g de fibra, 15 g de azúcar añadido y 1,14 g de sal.

Existen muchas variedades de este guiso clásico marroquí, perfecto para servir con una montaña humeante de cuscús o sobre unas patatas al horno crujientes.

Tajine de verduras

4 zanahorias cortadas en trozos
4 chirivías pequeñas o 3 grandes
    cortadas en trozos
3 cebollas rojas cortadas en gajos
2 pimientos rojos sin semillas
    y cortados en trozos
2 cucharadas de aceite de oliva
1 cucharadita de comino molido, de
    pimentón dulce, y de guindilla suave
    en polvo
400 g de tomate triturado en lata
2 puñados pequeños de orejones
2 cucharaditas de miel
cuscús o patatas al horno para
    acompañar

45 minutos • 4 raciones

1 Precalentar el horno a 180 ºC. Repartir las verduras en un par de placas de horno, rociar la mitad del aceite por encima, sazonar y, con las manos, impregnar las verduras con el aceite. Asar 30 minutos hasta que estén tiernas y empiecen a dorarse.

2 Mientras tanto, en una sartén, cocinar las especias en el aceite restante durante 1 minuto. Añadir los tomates, los orejones, la miel y un vaso de agua. Dejar hervir 5 minutos, hasta que la salsa se reduzca ligeramente y los orejones se hinchen; añadir las verduras asadas y sazonar. Servir con cuscús o patatas al horno.

• Cada ración contiene: 272 kcal, 7 g de proteínas, 45 g de carbohidratos, 8 g de grasas, 1 g de grasas saturadas, 12 g de fibra, 32 g de azúcar añadido y 0,35 g de sal.

También puedes preparar este plato, rápido y económico, con pavo.

Pollo caramelizado salteado con sésamo

175 g de fideos chinos al huevo
2 cucharaditas de aceite de girasol
2 pechugas de pollo en tiras
3 zanahorias cortadas en bastoncitos
2 cucharadas de miel
1 cucharada de salsa de soja
el zumo de 2 limas
3 cucharadas de semillas de sésamo
  tostadas
1 manojo pequeño de cilantro
  picado

20 minutos • 2 raciones

1 Cocinar los fideos según las instrucciones del envase, escurrir y mezclar con una cucharadita de aceite para que no se apelmacen.
2 Mientras tanto, calentar la cucharadita de aceite restante en un wok grande, añadir el pollo y saltear a fuego fuerte unos minutos. Agregar las zanahorias en bastoncitos y cocinar 4 minutos más hasta que el pollo esté hecho y empiece a tostarse.
3 Añadir rápidamente la miel, la salsa de soja y el zumo de lima, cocinar 30 segundos, añadir las semillas de sésamo y los fideos cocidos. (Usar pinzas para mezclar todo bien.) Calentar brevemente y decorar con el cilantro antes de servir.

• Cada ración contiene: 799 kcal, 53,4 g de proteínas, 110,9 g de carbohidratos, 18,9 g de grasas, 2,7 g de grasas saturadas, 7,9 g de fibra, 25 g de azúcar añadido y 3,42 g de sal.

Los palitos de pescado caseros son fáciles de preparar, saludables y prácticos, ya que incluso puedes cocinarlos congelados.

Palitos de pescado crujientes

250 g de filetes de abadejo (o similar)
el zumo de ½ limón
1 cucharadita de condimento para
    pescado
50 g de polenta (harina de maíz)
50 g de pan rallado
1 huevo batido ligeramente
2 cucharadas de aceite de oliva
tu verdura favorita como guarnición

25 minutos • 4 raciones

1 Precalentar el horno a 180 ºC. Cortar el pescado en 8 trozos y rociar por encima el zumo de limón.
2 Mezclar el condimento para pescado, la polenta y el pan rallado en una fuente. Introducir el pescado en el huevo batido, pasar varias veces por la mezcla de polenta y pan rallado para cubrirlo bien. Hacer lo mismo con todos los trozos de pescado y ponerlos en una placa de horno cubierta con papel antiadherente.
3 Rociar los palitos de pescado con aceite de oliva y hornear 15 minutos, dándoles la vuelta a los 7 minutos. Servir con tu verdura favorita.

• Cada ración contiene: 205 kcal, 15 g de proteínas, 20 g de carbohidratos, 8 g de grasas, 1 g de grasas saturadas, 0 g de fibra, 1 g de azúcar añadido y 0,32 g de sal.

Las especias indias y los huevos se combinan de maravilla
en este sustancioso plato vegetariano.

Tortilla a las finas hierbas

1 cucharada de aceite de girasol

1 cebolla en rodajas

1 guindilla roja sin semillas y en tiras

2 cucharaditas de especias para curry
(cilantro, comino y cúrcuma)

300 g de tomates cherry

500 g de patatas cocidas (en rodajas)

1 manojo de cilantro, los tallos picados
y las hojas troceadas

8 huevos batidos

ensalada verde para acompañar

25 minutos • 4 raciones

1 Calentar el aceite en una sartén grande. Freír la cebolla y la mitad de la guindilla durante 5 minutos hasta que se ablanden. Echar las especias de curry, freír 1 minuto más. Añadir los tomates cherry, las patatas y los tallos de cilantro a la sartén. Sazonar bien los huevos, verter encima de las verduras y cocinar a fuego lento entre 8 y 10 minutos, hasta que los huevos estén casi cuajados.

2 Calentar el grill y poner debajo la tortilla 1-2 minutos, hasta que se cuaje por arriba. Esparcir las hojas de cilantro y la guindilla restante por encima, cortar en porciones y servir con ensalada verde.

• Cada ración contiene: 327 kcal, 19 g de proteínas, 27 g de carbohidratos, 17 g de grasas, 4 g de grasas saturadas, 3 g de fibra, 5 g de azúcar añadido y 0,69 g de sal.

Preparar un risotto es muy relajante y comerlo resulta muy
reconfortante. Además, tu bolsillo se alegrará.

Risotto de champiñones, pollo y beicon

8 lonchas de beicon ahumado
   picadas
50 g de mantequilla
1 cebolla picada finamente
250 g de champiñones en láminas
300 g de arroz para risotto
1 vaso pequeño de vino blanco
1½ litro de caldo de pollo caliente
200 g de pollo cocido sin piel y
   picado (o restos de pollo asado)
un puñado de perejil picado
50 g de parmesano rallado finamente

30 minutos • 4 raciones

1 Freír el beicon en la mitad de la mantequilla;
porchar la cebolla. Añadir los champiñones
y cocinar 3 minutos más. Agregar el arroz,
removiendo sin parar hasta que se vuelva
transparente.
2 Verter el vino y cocinar a fuego lento hasta que
se evapore. Bajar el fuego y añadir el caldo por
cazos, removiendo después de echar cada uno
hasta que el arroz lo absorba. Este proceso
durará 25-30 minutos. El arroz debe quedar
cocido al punto y cremoso.
3 Al añadir el cazo final de caldo, repartir los
trozos de pollo por el arroz para calentarlos.
Agregar el perejil picado junto con la mantequilla
restante y el parmesano. Dejar calentar unos
minutos. Remover y servir.

• Cada ración contiene: 785 kcal, 56 g de proteínas,
68 g de carbohidratos, 33 g de grasas, 14 g de grasas
saturadas, 5 g de fibra, 5 g de azúcar añadido y
3,69 g de sal.

Una fabulosa tarta, perfecta como entrante o para una comida ligera.
Puedes sustituir el requesón por otro queso blando y cremoso
o por mascarpone.

Tarta de tomate y requesón

200 g de harina y un poco más para
   espolvorear
100 g de mantequilla fría y en dados
50 g de queso cheddar curado rallado
un pequeño puñado de albahaca con
   las hojas troceadas
175 g de requesón
8 tomates medianos maduros
   en rodajas delgadas
un poco de aceite de oliva para rociar
   y servir
un puñado de hierbas suaves variadas
   (como perifollo, menta y perejil) para
   decorar

1½ hora • 8 raciones

1 Mezclar la harina, ½ cucharadita de sal y la
mantequilla en un robot de cocina. Poner en un
cuenco; añadir dos tercios del queso cheddar
y 100 ml de agua muy fría. Amasar y dejar enfriar
30 minutos. Aparte, mezclar la albahaca, el queso
cheddar restante y el requesón, y sazonar.
2 Extender la masa con el rodillo y formar un
rectángulo largo. Doblar el tercio superior hacia
abajo, y el tercio inferior hacia arriba. Repetir 3
veces. Enfriar 10 minutos.
3 Precalentar el horno a 200 ºC. Extender la
masa y recortar un círculo; pinchar. Poner sobre
una placa enharinada y hornear 15 minutos.
Repartir el queso con hierbas y los tomates.
4 Sazonar y hornear 15 minutos. Bajar a 130 ºC
y hornear 40 minutos. Cuando se enfríe un poco,
rociar con un chorrito de aceite y las hierbas.

• Cada ración contiene: 278 kcal, 8 g de proteinas,
24 g de carbohidratos, 17 g de grasas, 10 g de grasas
saturadas, 2 g de fibra, 4 g de azúcar añadido y
0,58 g de sal.

Alimentar a mucha gente no tiene por qué costar una fortuna. Los acompañamientos ideales para este guiso son un buen pan crujiente y unas simples verduras al vapor.

Pollo con alubias blancas y beicon

1 cucharada de aceite de oliva
6 muslos de pollo con piel
200 g de beicon troceado
4 cebollas rojas cortadas en gajos
2 dientes de ajo aplastados
2 ramitas de romero con las hojas
  picadas finamente y una ramita
  entera
250 ml de vino tinto
250 ml de caldo de pollo
800 g de tomates cherry
1¼ kg de alubias blancas cocidas
2 cucharadas de azúcar
1 hoja de laurel
verduras al vapor y pan crujiente para
  acompañar

1¼ hora • 6 raciones

1 Precalentar el horno a 170 ºC. Calentar el aceite en una cazuela grande apta para el horno y dorar los muslos de pollo por tandas. Sacar de la cazuela y reservar.
2 Cocinar el beicon en la misma cazuela hasta que esté dorado y añadir las cebollas, el ajo y el romero picado. Freír durante unos minutos, removiendo, y echar el vino y el caldo. Llevar a ebullición, cocinar a fuego lento 10 minutos, hasta que las cebollas empiecen a ablandarse y el líquido se reduzca. Añadir los tomates, las alubias, el azúcar, la hoja de laurel y la ramita de romero entera. Sazonar, remover y volver a llevar a ebullición.
3 Poner los muslos de pollo encima de las alubias. Hornear de 40 a 45 minutos hasta que el pollo esté hecho y crujiente, y las cebollas estén tiernas.

• Cada ración contiene: 701 kcal, 55 g de proteínas, 30 g de carbohidratos, 39 g de grasas, 12 g de grasas saturadas, 7 g de fibra, 14 g de azúcar añadido y 2,82 g de sal.

Los patés y los parfaits son el mejor capricho gastronómico ya que son baratos y deliciosos. Sírvelos con una tostada, chutney y pepinillos.

Parfait de hígado de pollo

250 g de mantequilla en dados,
     a temperatura ambiente
2 chalotas picadas finamente
1 diente de ajo en láminas
600 g de hígados de pollo sin nervios
un chorro generoso de brandy
1 cucharada de tomate triturado
tostadas, pepinillos en rodajas y
     chutney para acompañar

PARA LA COBERTURA
100 g de mantequilla
1 cucharada de hojas de tomillo
1 cucharadita de granos de pimienta
     negra partidos

45 minutos, más el tiempo para enfriar
• 6 raciones (abundantes)

1 Calentar un tercio de la mantequilla en una sartén grande y pochar las chalotas y el ajo 3 o 4 minutos. Subir el fuego, añadir los hígados y dorar bien. Añadir el brandy y reducir. Si la salsa se prende fuego, mejor. Enfriar.
2 Sazonar; echar todo en un robot de cocina con el tomate y la mantequilla restante; triturar hasta obtener una pasta homogénea. Colar, poner en una fuente e igualar la parte superior. Enfriar unos 4 minutos, hasta que endurezca.
3 Para la cobertura, fundir la mantequilla. Esparcir el tomillo y los granos de pimienta sobre el parfait, después verter la capa amarilla de la mantequilla encima. Enfriar para que cuaje. Servir con tostadas, pepinillos en rodajas y chutney.

• Cada ración contiene: 535 kcal, 18 g de proteínas, 2 g de carbohidratos, 50 g de grasas, 31 g de grasas saturadas, 0 g de fibra, 1 g de azúcar añadido y 1,11g de sal.

Si crees que no puedes permitirte el salmón ahumado, piénsalo dos veces. Los paquetes de recortes contienen el mismo pescado solo que en piezas más pequeñas. Esta ensalada queda también magnífica con gambas.

Salmón ahumado con ensalada de pomelo

3 pomelos (puedes mezclar amarillos y rosa)
100 ml de aceite de oliva
1 limón
12 lonchas de salmón ahumado
un buen manojo de ramitas de cilantro

PARA DECORAR
pan integral y mantequilla para acompañar (opcional)

30 minutos • 4 raciones

1 Pelar el pomelo, eliminar la parte blanca y cortar en gajos sobre un cazo para recoger el zumo. Reservar los trozos de pomelo en un plato. Exprimir también el zumo de la membrana que haya quedado. Hervir el zumo en el cazo durante unos 10 minutos, hasta que se reduzca a unas cucharadas de jarabe. Mezclar con el aceite de oliva y reservar.
2 Pelar el limón y quitarle la parte blanca; partir en gajos y mezclar cuidadosamente con los de pomelo. Repartir en 4 platos el salmón y añadir los trozos de limón. Echar por encima el aliño y adornar con las ramitas de cilantro. Servir con rebanadas de pan integral y mantequilla.

• Cada ración contiene: 354 kcal, 20 g de proteínas, 10 g de carbohidratos, 26 g de grasas, 4 g de grasas saturadas, 2 g de fibra, 10 g de azúcar añadido y 3,6 g de sal.

A pesar del aspecto especial de este plato, es muy fácil de hacer, especialmente si se compra la masa ya preparada. Los espárragos trigueros son un lujo barato cuando están en temporada.

Hojaldres de espárragos y parmesano

6 cucharadas de mascarpone
50 g de parmesano rallado, más unas
    virutas para decorar
3 cucharadas de albahaca picada
    finamente
la ralladura de ½ limón
375 g de masa de hojaldre preparada
    y cortada en cuatro trozos de
    la longitud de los espárragos
350 g de espárragos trigueros
1 cucharada de aceite de oliva
hojas de ensalada variadas
    con vinagreta para acompañar

35 minutos • 4 raciones

1 Precalentar el horno a 180 °C. Mezclar el mascarpone con el parmesano, la albahaca y la ralladura de limón. Sazonar.
2 Poner los trozos de masa en 2 placas de horno y doblar los bordes para hacer un ribete delgado. Extender la mezcla de queso sin que sobresalga del borde.
3 Mezclar los espárragos con el aceite y colocarlos sobre los hojaldres (se pueden amontonar un poco). Hornear los hojaldres de 20 a 25 minutos, hasta que se doren. Servir tibios con las hojas de ensalada por encima y unas virutas de parmesano.

• Cada ración contiene: 535 kcal, 12 g de proteínas, 37 g de carbohidratos, 39 g de grasas, 18 g de grasas saturadas, 1 g de fibra, 4 g de azúcar añadido y 0,99 g de sal.

El corte con el que se hace este plato sirve también, una vez curado y en lonchas, para hacer el beicon. Esta carne es la más barata del cerdo. Está riquísima y puedes sacarle mucho partido.

Cerdo crujiente al estilo chino

1¼ kg de panceta de cerdo sin hueso, con piel y marcada (pídele al carnicero la parte final)
2 cucharaditas de polvo de cinco especias chino
2 cucharaditas de sal marina
arroz hervido y verduras al vapor para acompañar (opcional)

PARA LA SALSA
2 cucharadas de salsa de soja
un trozo pequeño de jengibre rallado
1 cucharada de salsa de guindillas dulce tailandesa
1 cebolleta picada finamente

2 horas y 10 minutos, más el adobo
• 4 raciones

1 Sazonar la carne de cerdo con la mezcla de cinco especias y la sal marina. Guardar en el frigorífico, sin tapar, durante 2 horas al menos, o preferiblemente toda una noche.

2 Precalentar el horno al máximo, poner el cerdo en una fuente sobre una rejilla, con la piel hacia arriba. Asar durante 10 minutos; bajar el fuego a 160 °C y dejar que se cocine 1 hora y media más. Si entonces la piel no está crujiente, subir la temperatura del horno a 200 °C y asar otros 30 minutos. Sacar del horno y dejar reposar al menos 10 minutos antes de cortar.

3 Para preparar la salsa, mezclar todos los ingredientes con 2 cucharadas de agua. Cortar el cerdo en trozos pequeños, servir con la salsa aparte y, con el arroz hervido y las verduras al vapor si se desea.

• Cada ración contiene: 696 kcal, 59 g de proteínas, 3 g de carbohidratos, 50 g de grasas, 19 g de grasas saturadas, 0 g de fibra, 2 g de azúcar añadido y 5,83 g de sal.

Con solo cinco ingredientes puedes preparar un estofado fabuloso. Desde luego, eso es una cocina eficaz. Acompáñalo con arroz o cuscús.

Cordero al estilo marroquí

500 g de cuello de cordero cortado
en trozos del tamaño de un bocado
2 cucharaditas de pimentón dulce
3 cucharaditas de canela molida
800 g de tomate triturado en lata
con aceite de oliva y ajo
1 cucharada de perejil picado
finamente y un poco más para
decorar
arroz o cuscús para acompañar

45 minutos • 4 raciones

1 Calentar una sartén grande antiadherente. Dorar el cordero por todos sus lados sin añadir aceite. Agregar las especias y freír 1 minuto más, hasta que estén fragantes.

2 Echar el tomate y el perejil, llevar a ebullición y cocinar tapado a fuego lento durante 30 minutos, hasta que el cordero esté tierno. Servir con más perejil por encima.

• Cada ración contiene: 350 kcal, 27 g de proteínas, 13 g de carbohidratos, 22 g de grasas, 9 g de grasas saturadas, 2 g de fibra, 9 g de azúcar añadido y 1,47 g de sal.

Atrévete a preparar fantásticos soufflés. Guarda en la nevera este plato sensacional y sírvelo en invierno como entrante o para comer al mediodía.

Soufflés de champiñones

140 g de champiñones en láminas
50 g de mantequilla y un poco más
para engrasar el molde
25 g de harina
325 ml de leche
100 g de queso gruyère, rallado
finamente, y un poco más para
hornear
3 huevos separados
6 cucharaditas de *crème fraîche*
cebollinos picados para decorar

40-45 minutos, más el tiempo para
enfriar • 8 raciones

1 Freír los champiñones en la mantequilla 3 minutos. Reservar una cucharada colmada. Añadir la harina y la leche; remover hasta espesar. Añadir el queso, sazonar y dejar enfriar.
2 Precalentar el horno a 180 °C. Engrasar 8 moldes para soufflé de 150 ml y forrar con papel. Echar las yemas de huevo en la mezcla. En un cuenco batir las claras a punto de nieve y añadir al soufflé. Repartir en los moldes y ponerlos en una fuente para hornear. Echar agua hasta que cubra la mitad de los moldes. Hornear unos 15 minutos. Enfriar.
3 Para servir, precalentar el horno a 170 °C. Quitar el papel a los soufflés y ponerlos sobre una placa de horno con trozos de papel. Cubrir con *crème fraîche*, gruyère y los champiñones reservados. Hornear 15 minutos, hasta que suban. Decorar con cebollino.

• Cada soufflé contiene: 170 kcal, 8 g de proteínas, 5 g de carbohidratos, 14 g de grasas, 8 g de grasas saturadas, 0 g de fibra, 2 g de azúcar añadido y 0,41 g de sal.

No cabe duda de que los mejillones son un plato barato pero están muy sabrosos tanto al vapor como con salsa.

Mejillones al vapor con sidra y beicon

1 nuez pequeña de mantequilla

6 lonchas de beicon troceadas
   o un trozo de 150 g en dados
   pequeños

2 chalotas picadas finamente

un manojo pequeño de tomillo

1½ kg de mejillones pequeños limpios

1 vaso de sidra

2 cucharadas de *crème fraîche*
   (opcional)

pan crujiente para acompañar

20 minutos, más la preparación de los mejillones • 2 raciones como plato principal, 4 como entrante

1 Calentar la mantequilla en una cazuela grande donde quepan los mejillones, freír el beicon 4 minutos, dándole la vuelta, hasta que empiece a estar crujiente. Añadir las chalotas y las hojas de tomillo y cocinar 1 minuto, hasta que se ablanden.

2 Subir el fuego al máximo y añadir los mejillones a la cazuela y verter la sidra por encima. Tapar la cazuela y sacudirla; cocer de 5 a 7 minutos, moviendo la cazuela de vez en cuando, hasta que todos los mejillones se hayan abierto.

3 Usar una espumadera para servir los mejillones en cuencos individuales y poner la cazuela de nuevo al fuego. Llevar los jugos a ebullición y añadir la *crème fraîche*, si se usa. Verter la salsa sobre los mejillones. Servir con trozos de pan crujiente.

• Cada ración contiene (si no se usa *crème fraîche*): 367 kcal, 39 g de proteínas, 8 g de carbohidratos, 18 g de grasas, 6 g de grasas saturadas, 0 g de fibra, 2 g de azúcar añadido y 4,45 g de sal.

Puedes dejar preparada la calabaza un día antes y guardarla
en el frigorífico. Después, cocínala cuando quieras.

Lasaña de calabaza y ricotta

1 kg de calabaza moscada cortada en
trozos
2 cucharadas de aceite de oliva
200 ml de *crème fraîche*
50 g de queso parmesano rallado
12 láminas de lasaña secas
250 g de queso ricotta
un puñado de hojas de salvia, la mitad
picadas y la mitad enteras

1 hora y 20 minutos • 6 raciones

1 Precalentar el horno a 200 ºC. Mezclar la
calabaza con el aceite en una fuente de horno y
dorar 30 minutos. Mientras; mezclar la *crème
fraîche* con la mitad del parmesano. Hervir las
láminas de lasaña 5 minutos y echarles un poco
de aceite.
2 Dejar que la calabaza se enfríe un poco y
pelarla. En un cuenco, batir la ricotta con la salvia
picada y el parmesano restante, y echar por
encima de la calabaza.
3 Extender un poco de la mezcla con la *crème
fraîche* sobre el fondo de la fuente, poner láminas
de lasaña encima, un poco de la calabaza con
ricotta y, por último, echar más *crème fraîche*.
Repetir, reservando un poco de crema para
cubrir la capa final. Repartir sobre esta las hojas
de salvia. Hornear 25 minutos hasta que se dore.

• Cada ración contiene: 445 kcal, 15 g de proteínas, 40 g
de carbohidratos, 26 g de grasas, 14 g de grasas saturadas,
3 g de fibra, 8 g de azúcar añadido y 0,36 g de sal.

Cuando lleves una cazuela de risotto humeante a la mesa, cortes unas rebanadas de pan y le hinques el diente, te darás cuenta de que es el plato perfecto para una velada deliciosa.

Risotto de hierbas y parmesano

50 g de mantequilla
1 cebolla picada finamente
300 g de arroz para risotto
1 vasito de vino blanco
1½ litro de caldo de verduras caliente
50 g de queso parmesano (la mitad rallado y la otra mitad en virutas)
2 manojos de hierbas suaves (incluyendo albahaca y cebollino) la mitad picadas y la otra mitad enteras
2 cucharadas de aceite de oliva
1 cucharada de vinagre balsámico
pan crujiente para acompañar

50 minutos • 4 raciones

1 Fundir la mantequilla; añadir la cebolla y pochar unos 10 minutos. Agregar el arroz y remover sin parar hasta que los granos empiecen a estar transparentes.
2 Verter el vino y cocinar a fuego lento hasta que se haya evaporado. Añadir el caldo cazo a cazo, removiendo. Seguir haciéndolo durante 25-30 minutos, hasta que el arroz esté hecho pero firme.
3 Cuando el arroz esté listo, bajar el fuego, añadir el parmesano rallado, la mantequilla restante, las hierbas picadas, la mitad del aceite y sazonar. Picar los cebollinos restantes, mezclar con las hojas de hierbas enteras, el aceite de oliva restante y el vinagre balsámico. Servir el risotto con un poco de la mezcla de hierbas y las virutas de parmesano.

• Cada ración contiene: 496 kcal, 13 g de proteínas, 67 g de carbohidratos, 21 g de grasas, 10 g de grasas saturadas, 4 g de fibra, 7 g de azúcar añadido y 0,93 g de sal.

Nadie podría rechazar un buen pollo asado, y menos todavía uno tan delicioso como este, con ajo, hierbas y limón.

Pollo asado con limón, ajo y romero

2 limones
1 pollo de unos 1,8 kg
6 hojas de laurel
un puñado de romero partido en
    ramitas
2 cabezas de ajos enteras y partidas
    por la mitad
1,5 kg de patatas peladas y en cuartos
2 cucharadas de aceite de girasol
50 g de mantequilla a temperatura
    ambiente
verduras para acompañar

1¾ hora • 4 raciones

1 Precalentar el horno a 180 °C. Rociar el pollo con el zumo de medio limón. Cortar el resto en gajos. Poner la otra mitad del limón, una hoja de laurel, unas ramitas de romero y media cabeza de ajos dentro del pollo.

2 Colocar las patatas y el ajo restante en la fuente de asar, echar un chorrito de aceite y condimentar. Apartar las patatas a los lados y poner el pollo en medio. Pintar el pollo por todas partes con la mantequilla.

3 Asar durante 1 hora y 20 minutos, pintar dos veces con más mantequilla durante el asado. Sacar el pollo de la fuente, tapar y dejar reposar.

4 Subir el horno a 200 °C. Mezclar las patatas, las hierbas restantes y los gajos de limón en los jugos de la cocción; asar 15 o 20 minutos, dándoles una vez la vuelta, hasta que estén dorados. Servir con verduras.

• Cada ración contiene: 800 kcal, 50 g de proteínas, 67 g de carbohidratos, 39 g de grasas, 13 g de grasas saturadas, 5 g de fibra, 4 g de azúcar añadido y 1,93 g de sal.

Las sardinas son baratas y recomendables por su aporte de grasas saludables. Con esta refrescante ensalada veraniega están muy sabrosas.

Sardinas con ensalada siciliana de hinojo

la ralladura y el zumo de 1 limón

un manojo de perejil, la mitad picado y la otra entero

1 diente de ajo pequeño picado

1 bulbo de hinojo con hojas

50 g de piñones tostados

50 g de pasas

un puñado de olivas verdes picadas

3 cucharadas de aceite de oliva y un poco más para aliñar

4 sardinas grandes sin escamas ni tripas

un puñado de sal marina en escamas

30 minutos • 2 raciones (fáciles de doblar)

1 Mezclar la ralladura de limón, el perejil picado y el ajo. Reservar. Retirar las hojas al hinojo y reservar. Partir la mitad del bulbo y cortarlo finamente. Preparar una ensalada mezclando el hinojo cortado y las hojas con los piñones, las pasas, las olivas y las hojas de perejil enteras. Aliñar con aceite de oliva y zumo de limón.

2 Calentar una barbacoa o parrilla a fuego medio. Salar el pescado (para que no se pegue). Cocinar 2 o 3 minutos por cada lado hasta que los ojos se vuelvan blancos. Esparcir por encima del pescado la mezcla de perejil y servir en platos. Aliñar con aceite y acompañar con la ensalada.

• Cada ración contiene: 663 kcal, 34 g de proteínas, 20 g de carbohidratos, 50 g de grasas, 7 g de grasas saturadas, 3 g de fibra, 20 g de azúcar añadido y 1,49 g de sal.

Este sabroso y contundente plato dibujará una sonrisa en la cara
de los comensales, incluso en el día invernal más desolado.

Ternera estofada con cebollas rojas y champiñones

1½ kg de ternera para estofar troceada
3 cebollas rojas en rodajas finas
600 ml de agua hirviendo
15 g de boletus edulis secos
3 cucharadas de aceite de oliva
1 cucharada de harina
425 ml de oporto o vino tinto
250 g de champiñones enteros
    o partidos por la mitad
un manojo de perejil picado

3½ horas • 6-8 raciones

1 Precalentar el horno a 140 °C. Secar la carne
con papel de cocina y sazonar por ambos lados.
Verter el agua hirviendo por encima de los
boletus secos. Dejar en remojo 30 minutos
y escurrir, reservando los jugos.
2 Calentar la mitad del aceite en una cazuela,
añadir la carne por tandas, dorar por ambos
lados y retirar. En el aceite restante, pochar las
cebollas 10 minutos. Volver a poner la carne en
la olla, espolvorear la harina y cocinar 1 minuto.
3 Añadir el oporto o el vino, el líquido de los
boletus y estos. Llevar a ebullición, sazonar, tapar
y cocinar de 1½ hora a 2 horas, hasta que la
carne esté tierna. Si la salsa queda demasiado
espesa, añadir un poco de agua hirviendo.
4 Probar y sazonar; añadir los champiñones
y cocinar 10 minutos más. Servir con el perejil
picado por encima.

• Cada ración contiene: 570 kcal, 54 g de proteínas, 17 g
de carbohidratos, 28 g de grasas, 10 g de grasas saturadas,
2 g de fibra, 13 g de azúcar añadido y 0,4 g de sal.

Cuanto más cocines los muslos de pato, más melosos y tiernos quedarán.
Combinan con especias marroquíes suaves y con sabores dulces

Tajine de pato con clementinas

6 muslos de pato
200 g de chalotas peladas
2 cucharaditas de cilantro molido,
    comino, jengibre y pimentón dulce
600 ml de caldo de verduras
2 cucharaditas de miel
el zumo de 1 limón
6 clementinas pequeñas peladas
3 cucharadas de cilantro picado
2 cucharadas de semillas de sésamo
    tostadas
cuscús para acompañar (opcional)

2½ horas • 6 raciones

1 Precalentar el horno a 170 °C. Poner los muslos en una fuente de asar grande o en dos pequeñas. Salar y asar 45 minutos. Pasar los muslos a un plato y echar 3 cucharadas de la grasa de pato a una cazuela grande (reservar la grasa restante).
2 Añadir las chalotas y dorar ligeramente. Agregar las especias y mezclar. Echar el caldo, la miel, el zumo de limón, la sal y la pimienta, y llevar a ebullición. Poner los muslos encima, tapar y cocinar a fuego suave algo más de 1 hora hasta que estén tiernos.
3 Mientras, calentar 1 cucharada de la grasa de pato en una sartén, añadir las clementinas enteras y dorar. Echar a la cazuela con el pato y cocinar 15 minutos; espolvorear el cilantro y las semillas de sésamo. Acompañar con cuscús.

• Cada ración contiene: 437 kcal, 48 g de proteínas, 9 g de carbohidratos, 23 g de grasas, 6 g de grasas saturadas, 2 g de fibra, 7 g de azúcar añadido y 0,62 g de sal.

Este plato es maravilloso para el invierno. Se puede acompañar con puré de patatas y una ensalada de temporada con hojas amargas, de endibias o escarola, que contrastarán con el sabor del cerdo.

Cerdo guisado con col lombarda

1½ kg de paletilla de cerdo en tiras de unos 3 cm
1 cucharadita de granos de pimienta aplastados
1 cucharada de hojas de tomillo
3 cucharadas de aceite de oliva
2 cebollas picadas
1 kg de col lombarda en tiras finas
2 manzanas peladas cortadas en 8 trozos
425 ml de vino tinto
200 g de castañas
2 cucharadas de jalea de arándanos o grosellas rojas
puré de patatas y ensalada verde para acompañar (opcional)

2 horas y 40 minutos • 6 raciones

1 Precalentar el horno a 140 °C. Condimentar la carne con los granos de pimienta aplastados, el tomillo y sal.

2 Calentar 2 cucharadas de aceite en una cazuela grande freír la cebolla. Añadir la col, remover, echar las manzanas y el vino y cocinar hasta que la col empiece a ablandarse. Agregar las castañas, 1 cucharada de jalea, condimentar y llevar a ebullición. Tapar y cocinar 5 minutos a fuego lento.

3 Mientras, calentar el aceite restante en una sartén y freír el cerdo; añadir la jalea restante. Cocinar unos minutos. Poner sobre la col en la cazuela. Echar un poco de agua hirviendo en la sartén, rascar los restos del fondo y verter sobre el cerdo.

4 Con la cazuela tapada, cocinar alrededor de 1½ hora hasta que el cerdo esté tierno.

• Cada ración contiene: 770 kcal, 49 g de proteínas, 33 g de carbohidratos, 48 g de grasas, 17 g de grasas saturadas, 7 g de fibra, 21 g de azúcar añadido y 0,48 g de sal.

Este pollo con una sabrosa salsa de tomate es una excelente opción para una cena con los amigos.

Pollo con costra crujiente y tomate

4 pechugas de pollo deshuesadas y sin piel
2 rebanadas gruesas de pan integral
2 cucharaditas de hierbas variadas
400 g de tomates enteros en lata
1 diente de ajo aplastado
1 cucharadita de vinagre balsámico (opcional)
2 cucharaditas de extracto de tomate
350 g de judías verdes

40 minutos • 4 raciones

1 Precalentar el horno a 170 ºC. Cortar las pechugas de pollo por la mitad como si fueran un libro. Ponerlas en una fuente de asar antiadherente.

2 Triturar el pan en un robot de cocina hasta que queden migas pequeñas. Mezclar con las hierbas. Escurrir los tomates, cortarlos y mezclar con el ajo, el vinagre (si se usa) y el extracto de tomate. Extender sobre el pollo y espolvorear las migas de pan por encima. Hornear de 20-25 minutos, hasta que el pollo esté tierno.

3 Mientras tanto, cocinar al vapor las judías de 5 a 7 minutos, hasta que estén tiernas. Servir el pollo sobre un lecho de judías.

• Cada ración contiene: 238 kcal, 39 g de proteínas, 16 g de carbohidratos, 3 g de grasas, 1 g de grasas saturadas, 0 g de fibra, 5 g de azúcar añadido y 0,66 g de sal.

Esta combinación clásica de sabores queda muy bien en una tortilla.
Además, podrás aprovechar los restos de patatas y de queso.

Tortilla de queso, puerros y patatas

una nuez de mantequilla para freír
1 puerro cortado finamente
225 g de patatas cocidas frías
6 huevos
100 g de queso cheddar rallado
1 cucharada de salvia fresca picada
   fina o 1 cucharadita de salvia seca
   (opcional)
ensalada verde para acompañar

15 minutos • 4 raciones

1 Fundir una nuez de mantequilla en una sartén mediana, antiadherente; cocinar a fuego lento el puerro durante 5 minutos, hasta que se ablande. Mientras tanto, cortar las patatas por la mitad, y después en rodajas de ½ cm de grosor. Batir los huevos, sazonar, añadir el queso y la salvia (si se usa).

2 Poner un poco más de mantequilla en la sartén si es preciso, echar las patatas y después el huevo. Con cuidado, mezclar las patatas y el puerro, volver a poner a fuego lento y cocinar 10 minutos, hasta que la tortilla esté cuajada casi por completo. Poner bajo el gratinador ya caliente, hasta que la parte superior de la tortilla se dore. Cortar en porciones y servir con ensalada verde.

• Cada ración contiene: 277 kcal, 16 g de proteína, 11 g de carbohidratos, 19 g de grasas, 9 g de grasas saturadas, 1 g de fibra, 1 g de azúcar añadido y 0,81 g de sal.

Este sustancioso pastel te permite aprovechar las sobras de pollo.

Pastel de pollo con limón y champiñones

una nuez de mantequilla para freír
1 cebolla picada finamente
100 g de champiñones en láminas
la corteza de 1 limón en tiras
300 g de pollo cocido o desmenuzado
3 cucharadas de *crème fraîche*
200 g de masa de hojaldre preparada
puré de patatas y verduras para
    acompañar (opcional)

30 minutos • 2-3 raciones

1 Precalentar el horno a 180 °C. Fundir una nuez de mantequilla en una sartén, añadir la cebolla, freír suavemente durante un par de minutos, hasta que esté blanda. Añadir los champiñones, cocinar 3 minutos más, hasta que se doren ligeramente. Mezclar con las tiras de limón y el pollo. Poner en una fuente pequeña de pastel y echar encima dos cucharadas y media de *crème fraîche*.
2 Colocar la masa sobre la fuente y sellar bien los bordes. Cortar el exceso de masa y hacer una pequeña hendidura en el centro del pastel. Extender la *crème fraîche* restante por encima de la masa y hornear 25 minutos, hasta que la masa se levante, esté crujiente y dorada. Servir el pastel solo o con el puré y las verduras.

• Cada ración contiene: 721 kcal, 53 g de proteínas, 40 g de carbohidratos, 40 g de grasas, 18 g de grasas saturadas, 1 g de fibra, 5 g de azúcar añadido y 1,05 g de sal.

Es sorprendente lo que puedes hacer con un paquete de masa de hojaldre y un poco de imaginación. También puedes hacerlas con jamón, queso, anchoas u olivas.

Tartaletas de hojaldre al gusto

375 g de masa de hojaldre
4 cucharadas de pesto verde o alguna
    otra salsa para pasta
140 g de pimientos asados en tiras
140 g de alcachofas en conserva o
    congeladas (unos 3 trozos por
    ración)
125 g de mozzarella en bola
    desmenuzada, u 85 g de queso
    rallado
ensalada verde para acompañar

30 minutos • 4 raciones

1 Precalentar el horno a 180 ºC. Desenrollar la masa y cortarla en 4 rectángulos. Con un cuchillo afilado, marcar ligeramente un borde de 1 cm en cada rectángulo, procurando no cortar totalmente la masa. Poner en una placa de horno.

2 Extender 1 cucharada de pesto o de salsa de pasta en cada trozo de masa sin salirse de los bordes; poner los pimientos y las alcachofas encima. Hornear 15 minutos, hasta que la masa empiece a dorarse.

3 Espolvorear el queso sobre las verduras. Volver a poner en el horno de 5 a 7 minutos, hasta que la masa quede crujiente y el queso se haya fundido. Servir con una ensalada verde.

• Cada tarta contiene: 515 kcal, 16 g de proteínas, 42 g de carbohidratos, 33 g de grasas, 14 g de grasas saturadas, 3 g de fibra, 6 g de azúcar añadido y 1,98 g de sal.

Los sándwiches comprados para llevar pueden ser caros
y decepcionantes; una buena solución es llevarte al trabajo
un sándwich casero.

Sándwich club de pavo y beicon

2 lonchas de beicon
mantequilla para untar
3 rebanadas de pan de molde (blanco
    o integral)
1 filete grueso de pavo cocido
un poco de mayonesa y mostaza
unas cuantas hojas de lechuga en tiras
½ aguacate en láminas

10 minutos • 1 ración

1 Cocinar el beicon hasta que esté crujiente y
escurrirlo sobre papel de cocina (puede hacerse
la noche anterior).
2 Untar con mantequilla el pan por un lado,
después poner el pavo, un poco de mayonesa
y lechuga. Untar con mantequilla la siguiente
rebanada de pan por ambos lados, y ponerla
sobre el pavo. Untar un poco de mostaza en
el pan, poner el beicon encima junto con el
aguacate. Untar con mantequilla la última
rebanada de pan por un lado y ponerla encima,
con el lado de la mantequilla hacia abajo.
3 Presionar ligeramente el sándwich y cortarlo
por la mitad en diagonal.

• Un sándwich contiene: 745 kcal, 31 g de proteínas, 54
g de carbohidratos, 46 g de grasas, 19 g de grasas
saturadas, 4 g de fibra, 4 g de azúcar añadido y
3,44 g de sal.

Los sabores mediterráneos se mezclan de maravilla en esta colorida ensalada que es ideal para llevártela cuando tienes que comer fuera de casa. En verano, las verduras están en su mejor momento.

Ensalada de cuscús y berenjenas

1 berenjena grande cortada en rodajas de 1 cm
3 cucharadas de aceite de oliva
150 g de cuscús
225 ml de caldo de verduras caliente
200 g de tomates cherry partidos por la mitad
un puñado de hojas de menta picadas
100 g de queso de cabra en rulo cortado en dados
el zumo de ½ limón

15 minutos • 2 raciones (fáciles de doblar)

1 Calentar el grill al máximo. Poner la berenjena en una placa de horno, pintar con un poco de aceite y sazonar. Asar durante unos 15 minutos, hasta que estén tostadas y blandas; darles la vuelta y pintar con más aceite a mitad de la cocción.

2 Mientras tanto, echar el cuscús en un cuenco grande, verter encima el caldo, tapar y esperar 10 minutos.

3 Mezclar los tomates, la menta, el queso de cabra y el aceite restante. Remover el cuscús con un tenedor, mezclar con la berenjena, la preparación con los tomates, el zumo de limón y servir.

• Cada ración contiene: 523 kcal, 18 g de proteínas, 45 g de carbohidratos, 31 g de grasas, 11 g de grasas saturadas, 6 g de fibra, 9 g de azúcar añadido y 1,08 g de sal.

A los niños les encantarán estas galletas. Con unas lonchas de jamón, unos bastoncitos de zanahoria y tomates cherry conseguirás un tentempié saludable y una sonrisa en sus caras.

Galletas de queso

100 g de margarina de aceite de oliva
50 g de queso emmental o cheddar rallado
100 g de queso mozzarella rallado
200 g de harina de cereal malteada
1 cucharadita de levadura
una pizca de mostaza inglesa en polvo (opcional)
1 cucharada de semillas variadas

30 minutos • unas 30 galletas

1 Precalentar el horno a 170 °C. Forrar dos placas de horno con papel antiadherente. Poner la margarina de aceite en un cuenco y mezclar con los quesos. Añadir la harina, la levadura, la mostaza en polvo, si se usa, una pizca de sal y las semillas variadas. Mezclar todo bien. Apretar la mezcla con las manos. Formar bolitas del tamaño de un tomate cherry y aplastarlas con la palma de la mano (o extender la masa y usar un cortapastas para hacer formas divertidas).
2 Pinchar cada galleta varias veces con un tenedor; hornear de 12 a 15 minutos, hasta que estén doradas. Dejar enfriar y guardar en un recipiente hermético (se conservarán).

• Cada galleta contiene: 70 kcal, 2 g de proteínas, 5 g de carbohidratos, 5 g de grasas, 1 g de grasas saturadas, 1 g de fibra, 0 g de azúcar añadido y 0,10 g de sal.

Si te gusta el pollo y la salsa hoisin, prueba estos sencillos rollitos.
También quedan deliciosos con pavo.

Rollos de pollo con salsa hoisin

2 tortillas mexicanas
4 cucharaditas de salsa hoisin
100 g de pollo cocido o asado en tiras
¼ pepino cortado en bastones
4 cebolletas picadas

5 minutos • 2 raciones

1 Calentar las tortillas en el microondas o en una sartén sin aceite.

2 Extender 2 cucharaditas de salsa hoisin en cada tortilla. Poner encima el pollo, el pepino y la cebolleta picada, enrollar y servir.

• Cada rollo contiene: 182 kcal, 18,6 g de proteínas, 20,1 g de carbohidratos, 3,6 g de grasas, 0,9 g de grasas saturadas, 1,4 g de fibra, 4,7 g de azúcar añadido y 0,85 g de sal.

Seguramente tienes la mayoría de los ingredientes de esta ensalada baja en grasas en tu despensa y frigorífico.

Pasta con pollo a la miel y la mostaza

300 g de pajaritas o de otra pasta
3 cucharadas de mayonesa baja en grasa (o normal, si se prefiere)
1 cucharadita colmada de mostaza a la antigua
1 cucharadita de miel
300 g de pollo cocido o asado desmenuzado
4 cebolletas en rodajas finas (o ½ cebolla roja en rodajas finas)
un manojo pequeño de albahaca con las hojas troceadas
4 tomates cortados primero en cuartos y después por la mitad

20 minutos • 4 raciones (se puede hacer la mitad)

1 Cocinar la pasta según las instrucciones del envase, escurrir y enfriar bajo el grifo del agua.
2 Mezclar la mayonesa con la mostaza y la miel en un cuenco grande; diluir con un poco de agua para hacer un aliño con la consistencia de la nata líquida. Añadir la pasta, el pollo, las cebolletas o la cebolla roja, la albahaca y los tomates. Sazonar al gusto, mezclar bien y servir.

• Cada ración contiene: 450 kcal, 31 g de proteínas, 62 g de carbohidratos, 11 g de grasas, 3 g de grasas saturadas, 3 g de fibra, 6 g de azúcar añadido y 0,55 g de sal.

Esta rica y sencilla quiche es una apuesta segura. Puedes llevarte un trozo cuando quieras comer fuera de casa.

Quiche de cebollas gratinadas y queso cheddar

5 cebollas pequeñas partidas por la mitad y picadas finamente
25 g de mantequilla
2 huevos
300 ml de nata para montar
150 de queso cheddar curado rallado

PARA LA MASA
300 g de harina y un poco más para enharinar
150 g de mantequilla fría en trozos

1 hora y 20 minutos • 8 raciones

1 Para preparar la masa, poner la harina y la mantequilla en un robot de cocina y amasar hasta que se formen migas. Añadir 8 cucharadas de agua fría y volver a amasar. Formar una bola y dejar enfriar 10 minutos. Extender la masa y poner en un molde de tarta de 25 cm, dejando que sobresalga un poco. Enfriar 20 minutos.
2 Mientras, a fuego medio, dorar la cebolla en la mantequilla 20 minutos. Precalentar el horno a 180 ºC.
3 Cubrir la masa con papel para hornear. Cocinar en 20 minutos. Quitar el papel y dorar 10 minutos.
4 Batir los huevos con la nata, añadir las cebollas y la mitad del queso, y sazonar. Verter la mezcla sobre la masa, espolvorear el queso restante por encima y dorar, de 20 a 25 minutos. Enfriar y recortar los bordes de la masa antes de desmoldar.

• Cada porción contiene: 567 kcal, 11 g de proteínas, 33 g de carbohidratos, 44 g de grasas, 26 g de grasas saturadas, 2 g de fibra, 5 g de azúcar añadido y 0,72 g de sal.

No tires el pan duro: para esta ensalada lo necesitarás. Puedes usar chapata o algún pan de pueblo con una buena corteza, o incluso pan de pita.

Ensalada rústica italiana

3 rebanadas de pan duro (chapata, por ejemplo)
4-5 tomates
½ pepino
un puñado de hojas de albahaca
200 g de atún en conserva
2 cucharaditas de alcaparras escurridas y picadas
2 cucharadas de vinagre
4 cucharadas de aceite de oliva

15 minutos • 2 raciones

1 Mojar ligeramente el pan con un poco de agua fría, escurrirlo bien y desmigarlo en un cuenco. Cortar los tomates por la mitad y quitar las semillas. Trocear la pulpa. Cortar el pepino en trozos pequeños.
2 Añadir el tomate y el pepino al pan, y trocear las hojas de albahaca. Escurrir y desmigar el atún; añadirlo al pan junto con las alcaparras, el vinagre y el aceite. Salpimentar al gusto. Mezclar todo y servir.

• Cada ración contiene: 463 kcal, 27 g de proteínas, 21 g de carbohidratos, 31 g de grasas, 5 g de grasas saturadas, 3 g de fibra, 6 g de azúcar añadido y 1,35 g de sal.

Usa la fruta que tengas y algún resto de jamón o pavo para preparar en 15 minutos una gran ensalada para toda la familia. Si te la llevas al trabajo, alíñala cuando vayas a comerla.

Ensalada de pavo y jamón

200 g de hojas de ensalada variadas
2 peras maduras o manzanas jugosas.
un buen puñado de nueces picadas
    (o avellanas o piñones)
3 lonchas de pavo y otras 3 de jamón

PARA EL ALIÑO
1 cebolla roja pequeña picada
    finamente
1 cucharada de vinagre de vino
2 cucharaditas de miel
125 g de yogur natural desnatado

15 minutos • 4 raciones (se puede hacer la mitad)

1 Poner las hojas de ensalada en una fuente grande. Cortar en cuartos, descorazonar y trocear las peras o las manzanas, después repartirlas sobre las hojas de ensalada junto con las nueces.

2 Cortar el pavo y el jamón en tiras; colocarlas por encima.

3 Mezclar todos los ingredientes del aliño en un cuenco pequeño y echar por encima de la ensalada justo antes de servir.

• Cada ración contiene: 240 kcal, 27 g de proteínas, 14 g de carbohidratos, 9 g de grasas, 2 g de grasas saturadas, 3 g de fibra, 14 g de azúcar añadido y 1,67 g de sal.

Este arroz, tan sencillo de hacer, es perfecto para que los niños mayores puedan prepararse la comida.

Arroz de asalto al frigorífico

6 lonchas de beicon troceadas
un puñado de champiñones partidos
   por la mitad
1 cebolla pequeña picada
1 cucharada de aceite de girasol
1 diente de ajo aplastado
150 g de arroz de grano largo
300 ml de caldo de pollo o verduras
   caliente
un puñado de queso cheddar rallado
   u otro queso duro

35 minutos • 2 raciones

1 Calentar una sartén grande antiadherente
y echar el beicon. Freír unos minutos a fuego
medio, hasta que empiece a soltar grasa. Añadir
los champiñones, bajar un poco el fuego;
freír 3 o 4 minutos, hasta que estén dorados
y el beicon, crujiente. Poner en una fuente
resistente al calor y mantener templados.
2 En la misma sartén, cocinar la cebolla en el
aceite 5 minutos. Añadir el ajo y freír 1 minuto;
agregar el arroz y el caldo. Llevar a ebullición.
Bajar el fuego y cocinar 10 minutos, hasta que se
haya evaporado casi todo el líquido. Apartar del
calor, remover y tapar 5 minutos para que se
acabe de hacer en su propio vapor.
3 Mezclar la mayoría del queso con el arroz y
sazonar. Servir en platos hondos con el beicon
y los champiñones por encima, y espolvorear el
resto del queso.

• Cada ración contiene: 549 kcal, 19 g de proteínas, 68 g
de carbohidratos, 24 g de grasas, 9 g de grasas saturadas,
1 g de fibra, 2 g de azúcar añadido y 2,32 g de sal.

En lugar de la ensalada o del bocadillo de siempre, puedes preparar una comida fabulosa con un aguacate maduro. Para que el aguacate no se oxide, rocíalo con un poco de zumo de limón.

Aguacate con humus y ensalada de tomate

1 cebolla roja en rodajas
2 tomates picados
un puñado de olivas deshuesadas
un chorrito de zumo de limón
aceite de oliva para aliñar
1 aguacate
2 cucharadas de humus
pan tostado para acompañar

5 minutos • 2 raciones

1 Mezclar la cebolla, los tomates y las olivas con el zumo de limón. Rociar con aceite y sazonar al gusto.

2 Partir el aguacate por la mitad y deshuesarlo, poner una cucharada de humus en el espacio del hueso. Cubrir con la ensalada de tomate, aliñar con un poco de aceite y servir con pan tostado.

• Cada ración contiene: 436 kcal, 4,6 g de proteínas, 8,8 g de carbohidratos, 42,7 g de grasas, 5,4 g de grasas saturadas, 7 g de fibra, 5,3 g de azúcar añadido y 0,46 g de sal.

Puedes hacer diferentes versiones de esta ensalada reemplazando
el jamón por caballa ahumada, gambas peladas, salami
o queso picado.

Ensalada de remolacha y jamón

100 g de guisantes congelados
175 g de remolacha cocida
   (no en vinagre)
2 cebolletas en rodajas finas
2 cucharadas de yogur griego
2 cucharaditas de salsa de rábano
   picante
½ lechuga iceberg en tiras
100 g de jamón en lonchas finas

15 minutos • 2 raciones

1 Verter agua hirviendo sobre los guisantes y
dejar 2 minutos. Escurrir bien. Cortar la
remolacha en dados.
2 Poner los guisantes, la remolacha y las
cebolletas en un cuenco y mezclar bien. En otro
cuenco, mezclar el yogur y la salsa de rábano
picante. Entonces, añadir 1 cucharada de agua
hirviendo para conseguir un aliño ligero.
3 Servir la lechuga en dos platos hondos y,
encima, la mezcla de remolacha. Rociar el aliño
sobre la ensalada y, por último, agregar el jamón.

• Cada ración contiene: 166 kcal, 16 g de proteínas,
17 g de carbohidratos, 4 g de grasas, 2 g de grasas
saturadas, 5 g de fibra, 13 g de azúcar añadido
y 1,92 g de sal.

Versátil y sabrosa, esta crema es perfecta para rellenar panes de pita y acompañarla con bastoncitos de zanahorias, apio y pepino. Si no, puedes tomarla simplemente como si fuera humus.

La mejor crema de alubias

400 g de alubias blancas cocidas
2 cucharadas de aceite de oliva
2 cucharadas de zumo de limón
125 g queso bajo en grasas con ajo
    y hierbas

10 minutos • 4 raciones

1 Poner las alubias blancas en un robot de cocina, verter el aceite de oliva y el zumo de limón. Añadir una pizca de sal y un poco de pimienta negra recién molida. Triturar todo hasta conseguir una pasta homogénea.
2 Añadir el queso con ajo y hierbas, mezclar hasta que la crema esté homogénea, guardar en un recipiente hermético y dejar enfriar. Se puede guardar hasta 3 días.

• Cada ración contiene: 151 kcal, 5,7 g de proteínas, 8,8 g de carbohidratos, 10,6 g de grasas, 3,8 g de grasas saturadas, 2,8 g de fibra, 1,8 g de azúcar añadido y 0,97 g de sal.

Este sencillo plato, bajo en grasas, te permite aprovechar los restos de arroz. Es perfecto para los días en que vas mal de tiempo y tienes que cocinar para toda la familia.

Arroz con pollo picante

200 g de filetes de pollo aderezados
   con especias y asados
250 g de arroz cocido sobrante o
   250 g de arroz precocinado
$^1/_3$ de pepino cortado finamente
2 zanahorias ralladas
20 g de hojas de menta troceadas
150 g de yogur natural desnatado
1 cucharadita de miel
una pizca de guindilla en polvo

15 minutos • 2 raciones

1 Cortar el pollo en trozos del tamaño de un bocado y mezclar con el arroz, el pepino y las zanahorias.
2 Mezclar la mitad de la menta con el yogur, la miel, la guindilla en polvo y sazonar. Añadir al arroz y espolvorear la menta restante por encima.

• Cada ración contiene: 357 kcal, 31 g de proteínas, 57 g de carbohidratos, 2 g de grasas, 1 g de grasas saturadas, 3 g de fibra, 19 g de azúcar añadido y 0,99 g de sal.

Con unos boniatos cocidos puedes preparar una crema suave.
Está riquísima y cuesta muy poco.

Crema de boniatos al coco

1 cucharada de aceite vegetal
1 cebolla picada
1-2 cucharaditas de pasta de curry
   tailandés (rojo o verde)
750 g de boniatos pelados y rallados
1 litro de caldo de verduras caliente
100 ml leche de coco (mejor baja en
   grasa)
un puñado de hojas de cilantro
   troceadas para adornar
panecillos naan pequeños para
   acompañar

20 minutos • 4 raciones

1 Calentar el aceite en una cazuela honda,
añadir la cebolla y pochar a fuego lento
de 4 a 5 minutos. Añadir la pasta de curry y
cocinar 1 minuto más, hasta que empiece a
soltar aroma. Echar los boniatos rallados y el
caldo, llevar rápidamente a ebullición y dejar
hervir 5 minutos, hasta que los boniatos se
ablanden.
2 Apartar la sopa del fuego, añadir la leche de
coco y condimentar. Triturar hasta obtener una
crema homogénea. Espolvorear el cilantro y
servir con los panecillos naan.

• Cada ración contiene: 240 kcal, 4 g de proteinas,
45 g de carbohidratos, 6 g de grasa, 3 g de grasas
saturadas, 6 g de fibra, 15 g de azúcar añadido
y 0,56 g de sal.

Esta sencilla sopa se convertirá en uno de tus platos favoritos para preparar un rápido almuerzo primaveral. En cualquier otra estación, usa verduras variadas congeladas en lugar de frescas.

Sopa minestrone de primavera

200 g de verduras (espárragos
   trigueros, habas y cebolletas)
700 ml de caldo de verduras caliente
140 g de pasta cocida (espaguetis
   cortados en trozos pequeños
   pueden servir)
225 g de alubias blancas cocidas
3 cucharadas de pesto verde

10 minutos • 4 raciones

1 Poner las verduras en un olla de tamaño medio y verter en ella el caldo. Llevar a ebullición. Bajar el fuego y hervir unos 3 minutos, hasta que las verduras estén hechas.
2 Agregar la pasta cocida, las alubias y 1 cucharada de pesto. Calentar y servir en platos hondos. Decorar con un poco más de pesto.

• Cada ración contiene: 125 kcal, 8 g de proteínas, 16 g de carbohidratos, 4 g de grasas, 1 g de grasas saturadas, 4 g de fibra, 3 g de azúcar añadido y 0,7 g de sal.

A todo el mundo le gusta esta sopa por su simplicidad y por su elaboración a base de unos pocos ingredientes económicos.

Crema de zanahorias y cilantro

1 cucharada de aceite vegetal
1 cebolla picada
1 cucharadita de comino molido
1 patata pelada y picada
450 g de zanahorias peladas y picadas
1¼ litro de caldo caliente de verduras
 o pollo
un puñado de cilantro

40 minutos • 4 raciones

1 Calentar el aceite en una olla grande, añadir la cebolla y freír 5 minutos, hasta que se ablande. Añadir el cilantro picado y la patata, cocinar durante 1 minuto. Añadir las zanahorias y el caldo. Llevar a ebullición y bajar el fuego. Tapar y cocinar 20 minutos, hasta que las zanahorias estén blandas.

2 Poner en el robot de cocina con la mayoría del cilantro y triturar hasta obtener una crema homogénea (quizá sea necesario hacerlo en dos tandas). Volver a poner la sopa en la olla, probar y salar si es necesario. Calentar de nuevo y servir. Adornar con las hojas de cilantro restantes.

• Cada ración contiene: 115 kcal, 3 g de proteínas, 19 g de carbohidratos, 4 g de grasas, 1 g de grasas saturadas, 5 g de fibra, 12 g de azúcar añadido y 0,46 g de sal.

Aunque su textura es cremosa esta sopa no lleva nata. Los generosos tropezones de pollo y verduras la convierten en un plato único.

Sopa de pollo cremosa

100 g de mantequilla
1 cebolla troceada
1 zanahoria grande cortada en trozos pequeños
300 g de patatas harinosas cortadas en trozos pequeños
1 puerro grande cortado en rodajas finas
1 cucharada de hojas de tomillo frescas, o 1 cucharadita si se usan secas
50 g de harina
1¼ litro de caldo de pollo caliente
200 g de pollo cocido o asado cortado en trozos grandes
pan crujiente para acompañar

40 minutos • 4 raciones

1 Fundir 25 g de mantequilla en una cazuela honda y calentar hasta que empiece a burbujear. Añadir la cebolla y dorar de 3 a 4 minutos; Incorporar la zanahoria y las patatas, y freír 4 minutos. Añadir el puerro y el tomillo, y cocinar 3 minutos más. Reservar.

2 Fundir la mantequilla restante en una cazuela mediana. Cuando empiece a burbujear, añadir la harina y seguir removiendo de 3 a 4 minutos, hasta que empiece a estar de un dorado pálido. Con la cazuela todavía en el fuego, verter poco a poco el caldo caliente, removiendo constantemente. Después de echar todo el caldo, verterlo en la olla de verduras, dejar hervir y cocinar a fuego lento de 8 a 10 minutos, removiendo de vez en cuando.

3 Añadir el pollo y sazonar. Calentar y servir con pan crujiente.

• Cada ración contiene: 449 kcal, 28 g de proteínas, 32 g de carbohidratos, 24 g de grasas, 13 g de grasas saturadas, 4 g de fibra, 8 g de azúcar añadido y 1,10 g de sal.

Con unos cuantos alimentos básicos de la despensa y unos tacos de pescado ahumado conseguirás esta sabrosa sopa.

Sopa de maíz y pescado ahumado

una nuez de mantequilla
2 lonchas de beicon troceadas
1 cebolla picada finamente
500 ml de leche
350 g de patatas (2-3 medianas)
   cortadas en dados pequeños
300 g de abadejo ahumado en tacos
   (u otro pescado ahumado similar)
150 g de maíz dulce congelado
perejil picado para decorar (opcional)
pan crujiente para acompañar

30 minutos • 2 raciones

1 Calentar la mantequilla en una cazuela grande. Dorar el beicon. Añadir la cebolla, cocinar hasta que esté blanda, verter la leche y mezclar con las patatas. Llevar a ebullición y cocinar a fuego lento 5 minutos.

2 Añadir el pescado ahumado, dejar que se cocine a fuego lento unos minutos. Mezclar con el maíz y cocinar durante un par de minutos hasta que el maíz se haya descongelado. Espolvorear por encima el perejil, si se usa. Servir con pan crujiente.

• Cada ración contiene: 550 kcal, 47 g de proteínas, 59 g de carbohidratos, 16 g de grasas, 7 g de grasas saturadas, 4 g de fibra, 18 g de azúcar añadido y 3,92 g de sal.

Aunque de origen francés, la sopa de cebolla se ha popularizado entre los británicos, quienes le dan su toque particular añadiéndole sidra y queso cheddar.

Sopa de cebolla al estilo británico

50 g de mantequilla o 2 cucharadas de manteca de cerdo
1 kg de cebollas picadas finamente
1 cucharada de azúcar extrafino
unas ramitas de tomillo
3 hojas de laurel
150 ml de sidra
1 litro de caldo de verduras o de pollo caliente

PARA EL GRATINADO
4 rebanadas de pan redondo de pueblo
100 g de queso cheddar curado rallado
un manojo grande de perejil picado

1¾ hora • 4 raciones

1 Calentar la mayoría de la mantequilla o la manteca en una cazuela; añadir las cebollas, el azúcar y las hierbas. Sazonar y cocinar, sin tapar, a fuego lento removiendo ocasionalmente durante unos 40 minutos, hasta que esté caramelizada y oscura. Verter la sidra y dejar que se reduzca a la mitad. Echar el caldo, llevar a ebullición y cocinar durante 20 minutos.
2 Poner el grill al máximo. Untar el pan por ambos lados con la mantequilla o la manteca restante, y tostar bajo el grill hasta que se dore. Repartir el queso por encima y volver a poner bajo el grill hasta que se funda. Servir la sopa en cuencos con una rebanada de pan flotando en ella. Condimentar generosamente con perejil.

• Cada ración contiene: 451 kcal, 15 g de proteínas, 51 g de carbohidratos, 21 g de grasas, 12 g de grasas saturadas, 6 g de fibra, 22 g de azúcar añadido y 1,75 g de sal.

Este clásico para reutilizar sobras es un plato perfecto para Navidad,
o cualquier otro momento del año, y un plato principal vegetariano
delicioso por derecho propio.

Pastel de verduras con especias

800 g de chirivías cortadas en trocitos
1 cucharadita de cúrcuma
½ repollo o 300 g de coles de Bruselas
  picadas finamente
un buen puñado de guisantes
  congelados
el zumo de ½ limón
50 g de mantequilla
1 cucharadita de semillas de comino
1 cucharada de garam masala
un puñado de cilantro fresco picado
1 guindilla roja sin semillas y picada
ramitas de cilantro fresco para decorar

45 minutos • 4 raciones como plato
principal u 8 como acompañamiento

1 Poner las chirivías y la cúrcuma en una olla
con agua fría. Hervir 12 minutos. Escaldar el
repollo o las coles en agua hirviendo 3 minutos.
Añadir los guisantes y escurrir.
2 Escurrir las chirivías, volver a poner en la olla
y triturar con el zumo de limón y la mitad de
la mantequilla. Mezclar con todos los demás
ingredientes, excepto la mantequilla sobrante
y las ramitas de cilantro, y sazonar.
3 Calentar la mantequilla en una sartén y colocar
la mezcla de chirivía en ella. Rehogar hasta que
esté crujiente por debajo, después darle la vuelta
con una espátula. (No pasa nada si se rompe
ahora.) Seguir rehogando hasta que esté
crujiente por el otro lado, pasar a un plato y volver
a poner en la sartén. Repetir hasta obtener un
pastel crujiente. Adornar con cilantro y servir.

• Cada ración contiene: 277 kcal, 7 g de proteínas,
33 g de carbohidratos, 14 g de grasas, 7 g de grasas
saturadas, 12 g de fibra, 15 g de azúcar añadido y
0,27 g de sal.

Esta aromática sopa de fideos es la elección adecuada si te apetece tomar algo ligero y saludable.

Sopa de pollo con fideos chinos

1¼ litro de caldo de pollo

2 anises estrellados

1 trozo de 3 cm de jengibre en rodajas (no necesita pelarse)

2 dientes de ajo con la piel, aplastado

2 bok choy en tiras

100 g de fideos chinos al huevo medianos

4 cebolletas picadas finamente

100 g de pollo cocido cortado en tiras muy finas

un chorrito de salsa de soja

un puñado de hojas de albahaca

1 guindilla roja, sin semillas y picada finamente

aceite de sésamo para acompañar (opcional)

30 minutos • 4 raciones

1 Verter el caldo en una olla mediana. Añadir el anís estrellado, el jengibre y el ajo. Cocinar a fuego lento 10 minutos sin que llegue a hervir. En los últimos 2 minutos, poner el bok choy en un colador, dejarlo suspendido sobre la olla y tapar para cocerlo al vapor.

2 Echar los fideos en el caldo, removiendo para separarlos, cocer 4 minutos hasta que estén en su punto. Añadir las cebolletas y el pollo. Sazonar al gusto con un chorrito de salsa de soja. Servir en cuencos y repartir por encima el bok choy, las hojas de albahaca y la guindilla. Aderezar con unas gotitas de aceite de sésamo, si se quiere.

• Cada ración contiene: 132 kcal, 19 g de proteínas, 5 g de carbohidratos, 4 g de grasas, 1 g de grasas saturadas, 1 g de fibra, 3 g de azúcar añadido y 1,08 g de sal.

Si guardas esta sopa casera en el congelador, nunca te quedarás sin un entrante, una comida ligera o, incluso, una cena tardía.

Sopa de puerros, patatas y beicon

25 g de mantequilla
3 lonchas de beicon troceadas
   y 4 lonchas de beicon crujiente
   para acompañar
1 cebolla picada
400 g de puerros en rodajas
3 patatas medianas en dados
1½ litro de caldo de verduras caliente
150 ml de nata líquida (o leche)
pan tostado para acompañar

40 minutos • 4-6 raciones

1 Fundir la mantequilla en una cazuela grande, freír el beicon y la cebolla, removiendo hasta que empiecen a dorarse. Añadir los puerros y las patatas, remover bien, tapar y bajar el fuego. Cocinar a fuego lento 5 minutos, moviendo de vez en cuando para que no se peguen.
2 Verter el caldo, sazonar y llevar a ebullición. Tapar y cocinar a fuego lento 20 minutos, hasta que las verduras se ablanden. Dejar enfriar unos minutos y triturar en un robot de cocina, por tandas, hasta obtener una crema homogénea. Devolver a la olla, echar la nata o la leche y remover. Probar y rectificar de sal, si es necesario. Servir con el beicon crujiente por encima y con el pan tostado al lado.

• Cada ración (6) contiene: 175 kcal, 6 g de proteínas, 15 g de carbohidratos, 11 g de grasas, 6 g de grasas saturadas, 4 g de fibra, 5 g de azúcar añadido y 0,68 g de sal.

Sustituye las patatas asadas de siempre por estos sabrosos nabos con queso.

Nabos asados con queso parmesano

750 g de nabos grandes, pelados
y cortados en bastones
1 cucharada de aceite de oliva y un
poco más para engrasar
50 g de queso parmesano rallado
1 cucharada de hojas de romero fresco
picado
una nuez de mantequilla
2 dientes de ajo pelados

45 minutos • 4 raciones

1 Precalentar el horno a 200 °C. Poner los nabos, el aceite de oliva, 40 g de queso parmesano rallado y las hojas de romero en una fuente de horno honda. Sazonar y mezclar bien, disponer en una sola capa. Esparcir por encima el parmesano restante, repartir la mantequilla y añadir los dientes de ajo.
2 Asar de 30 a 35 minutos hasta que estén crujientes y dorados, volviéndolos a mitad de la cocción.

• Cada ración contiene: 155 kcal, 6 g de proteínas, 10 g de carbohidratos, 10 g de grasas, 4 g de grasas saturadas, 4 g de fibra, 9 g de azúcar añadido y 0,34 g de sal.

Asados con un poco de vino, los humildes puerros se convierten
en un acompañamiento tierno y apetitoso. Mételos en el horno
y olvídate de ellos mientras se cocinan.

Puerros asados con tomillo y vino

2 dientes de ajo picados finamente
1 cucharada de hojas de tomillo
  picadas
2 cucharadas de mantequilla
6 puerros grandes cortados en rodajas
  del grosor de un dedo
150 ml de caldo de verduras caliente
150 ml de vino blanco (o más caldo de
  verduras)

1 hora • 4 raciones

1 Precalentar el horno a 160 °C. Freír los ajos
y el tomillo en la mantequilla hasta que estén
blandos. Añadir los puerros y mezclar con la
preparación de los ajos. Pasar los puerros a una
fuente de horno, disponiéndolos en una sola
capa. Verter por encima el vino y el caldo, cubrir
con un trozo de papel para hornear, doblado.
Cocinar en el horno 30 minutos.
2 Retirar el papel; meter de nuevo en el horno
durante 10 minutos hasta que los puerros
se doren. Verter por encima un poco de la salsa
de la mantequilla con ajo y tomillo, y servir.

• Cada ración contiene: 130 kcal, 4 g de proteínas,
8 g de carbohidratos, 8 g de grasas, 5 g de grasas
saturadas, 4 g de fibra, 6 g de azúcar añadido y
0,20 g de sal.

Esta suave crema de calabaza es muy fácil de hacer. Prueba a añadirle unos tropezones de pan tostado caseros: es una buena forma de aprovechar el pan duro.

Crema de calabaza

4 cucharadas de aceite de oliva
2 cebollas picadas finamente
1 kg de calabaza moscada pelada, sin
  semillas y cortada en trozos
700 ml de caldo de verduras o de pollo
150 ml de nata para montar
4 rebanadas de pan integral con
  semillas y sin corteza
un puñado de semillas sin piel de
  calabaza

45 minutos • 6 raciones

1 Calentar la mitad del aceite en una olla grande, cocinar suavemente las cebollas 5 minutos, hasta que estén blandas. Añadir la calabaza y cocinar de 8 a 10 minutos, removiendo de vez en cuando, hasta que empiece a estar blanda y dorada.
2 Verter el caldo en la olla y sazonar. Llevar a ebullición, cocinar 10 minutos a fuego lento, hasta que la calabaza esté muy blanda. Echar la nata en la olla, volver a llevar a ebullición y triturar con una batidora eléctrica.
3 Mientras se hace la crema, cortar el pan en dados pequeños. Calentar el aceite restante en una sartén y freír el pan hasta que esté crujiente. Añadir las semillas de calabaza a la sartén y tostarlas. Volver a calentar la crema si es necesario, probar y sazonar. Servir con los tropezones de pan, las semillas, y un poco más de aceite, si se quiere.

• Cada ración contiene: 317 kcal, 6 g de proteínas, 20 g de carbohidratos, 24 g de grasas, 9 g de grasas saturadas, 0 g de fibra, 6 g de azúcar añadido y 0,54 g de sal.

Estas migas picantes están deliciosas también con otras verduras, como coliflor o puerros.

Brócoli con ajo y migas con chile

500 g de brócoli
2 cucharadas de aceite de oliva
una nuez de mantequilla
2 dientes de ajo pequeños, picados
    finamente
1 guindilla roja pequeña, sin semillas
    y picada finamente
50 g de migas de pan blanco

20 minutos • 4 raciones

1 Cocer el brócoli al vapor 5 minutos, hasta que esté tierno.
2 Mientras tanto, calentar el aceite y la mantequilla en una sartén, freír el ajo y la guindilla durante 1 minuto. Añadir las migas de pan y freír 5 minutos, hasta que estén crujientes.
3 Sazonar el brócoli y servirlo en un plato con las migas picantes por encima.

• Cada ración contiene: 142 kcal, 6 g de proteínas, 13 g de carbohidratos, 8 g de grasas, 2 g de grasas saturadas, 4 g de fibra, 3 g de azúcar añadido y 0,31 g de sal.

La mejor forma de preparar los tubérculos es asándolos. Este sabroso puré combina particularmente bien con pollo asado, chorizo o queso azul.

Puré de boniato, calabaza y ajos asados

1 kg de calabaza moscada pelada
   y cortada en trozos
1 kg de boniatos pelados y cortados
   en trozos
2 cabezas de ajo
1 guindilla roja
3 cucharadas de aceite de oliva y un
   poco más para aliñar

1 hora • 4 raciones

1 Precalentar el horno a 180 °C. Repartir los trozos de calabazas y de boniatos en dos fuentes de horno. Partir por la mitad las cabezas de ajos y ponerlas con la guindilla entera en una de las fuentes. Rociar con el aceite de oliva y asar 45 minutos.

2 Cuando la calabaza y el boniato estén blandos y dorados, partir por la mitad la guindilla, quitarle las semillas picar. Sacar los dientes de ajo de las cabezas y triturar todo junto. Sazonar y echar un chorrito de aceite al servir.

• Cada ración contiene: 434 kcal, 6,8 g de proteínas, 76,1 g de carbohidratos, 13,6 g de grasas, 2,1 g de grasas saturadas, 10,5 g de fibra, 25,8 g de azúcar añadido y 0,28 g de sal.

Añade nuevos sabores y texturas al puré de patatas de siempre. Esta variedad es perfecta como acompañamiento para el jamón cocido o el pescado.

Puré de patata a la mostaza

1 kg de patatas harinosas peladas y troceadas
2 manojos de cebolletas en rodajas
50 g de mantequilla
200 ml de leche
1-2 cucharadas de mostaza a la antigua

30 minutos • 4 raciones

1 Hervir las patatas en agua con sal unos 15 minutos, hasta que estén blandas.
2 Mientras tanto, freír las cebolletas en la mitad de la mantequilla durante 2 minutos, hasta que estén tiernas pero sigan de un verde intenso.
3 Escurrir las patatas y hacerlas puré. Calentar la leche y el resto de la mantequilla en un cazo; batir con el puré, junto con la mostaza. Añadir las cebolletas y servir.

• Cada ración contiene: 320 kcal, 8,3 g de proteínas, 47,1 g de carbohidratos, 12,3 g de grasas, 7,1 g de grasas saturadas, 4,2 g de fibra, 5,5 g de azúcar añadido y 0,45 g de sal.

Algunos platos de Europa del Este se están haciendo muy populares.
Prueba a experimentar con algunos ingredientes diferentes
en esta suculenta sopa casera.

Sopa de salchichas sustanciosa

2 cebollas grandes picadas
2 cucharadas de aceite de oliva
2 dientes de ajo laminados
200 g de salchichas kabanos (picantes
   y ahumadas)
1 cucharadita de pimentón dulce o
   picante
100 g de arroz basmati integral
1 cucharada de tomillo fresco picado
2 litros de caldo de ternera
3 zanahorias en rodajas finas
100 g de col rizada
pan crujiente para acompañar

40 minutos • 4 raciones

1 Freír las cebollas en el aceite 5 minutos.
Añadir el ajo y las salchichas, freír unos cuantos
minutos más; agregar el pimentón, el arroz
y el tomillo.
2 Verter el caldo, llevar a ebullición, añadir las
zanahorias y un poco de sal y pimienta. Cocinar
con la olla tapada 20 minutos. Incorporar la col
rizada y cocinar 10 minutos más. Servir con pan
crujiente.

• Cada ración contiene: 433 kcal, 21 g de proteínas,
34 g de carbohidratos, 24 g de grasas, 6 g de grasas
saturadas, 5 g de fibra, 12 g de azúcar añadido y
3,83 g de sal.

Dale un toque crujiente a tus comidas con nuestra original ensalada de col. Si lo prefieres, puedes sustituir el hinojo y las chalotas por una buena cebolla.

Ensalada de col lombarda e hinojo

½ col lombarda pequeña cortada en tiras
2 zanahorias medianas en juliana
1 bulbo de hinojo cortado en cuartos y después en tiras
2 chalotas picadas finamente
50 g de mayonesa

15 minutos • 4 raciones

1 Poner todos los ingredientes en un cuenco y mezclar. Añadir la mayonesa y repartirla bien por toda la ensalada. Sazonar con mucha pimienta negra y un poco de sal; servir. Las sobras pueden guardarse en un recipiente cerrado en el frigorífico hasta dos días.

• Cada ración contiene: 117 kcal, 1 g de proteínas, 6 g de carbohidratos, 10 g de grasas, 2 g de grasas saturadas, 3 g de fibra, 6 g de azúcar añadido y 0,19 g de sal.

Si tienes un buen tomate en conserva y unos tomates secos intensos
y afrutados, no hay razón para no disfrutar de una sopa
de tomate casera en lo más crudo del invierno.

Crema de tomate con pesto

una nuez de mantequilla o 1 cucharada
    de aceite de oliva
2 dientes de ajo aplastados
5 tomates secos en aceite picados
1¼ kg de tomates en conserva
500 ml de caldo de pollo o de verduras
1 cucharadita de azúcar (cualquier tipo)
    o al gusto
150 g de nata
pesto de albahaca para acompañar
hojas de albahaca para adornar
    (opcional)

25 minutos • 4 raciones

1 Calentar la mantequilla o el aceite en una olla grande, añadir el ajo y cocinar unos minutos a fuego lento. Añadir los tomates secos rehidratados, los tomates en conserva, el caldo, el azúcar y sazonar. Llevar a ebullición y dejar que hierva 10 minutos, hasta que los tomates empiecen a romperse.
2 Triturar con una batidora de mano mientras se añade, a la vez, la mitad de la nata. Probar y corregir la sazón: añadir más azúcar si se necesita. Servir en platos hondos con 1 cucharada de pesto, puesta en forma de remolino, con un cordón de nata y unas cuantas hojas de albahaca.

• Cada ración contiene: 213 kcal, 8 g de proteínas, 14 g de carbohidratos,14 g de grasas, 7 g de grasas saturadas, 4 g de fibra, 13 g de azúcar añadido y 1,15 g de sal.

Las mejores pastas de curry tailandés vienen en tarros grandes
y pueden parecer caras, pero duran mucho tiempo y están riquísimas,
así que cómpralas y tus comensales te lo agradecerán.

Sopa de gambas picante

1 cucharada de aceite de girasol

300 g de verduras crujientes variadas
(mazorquitas de maíz y zanahorias,
por ejemplo)

150 g de setas en láminas

2 cucharadas de pasta de curry verde
tailandés

400 g de leche de coco baja en grasa

200 ml de caldo de verduras o de
pescado

300 g de fideos chinos medianos para
cocinar en el wok

200 g de gambas cocidas

20 minutos • 4 raciones (se puede
hacer la mitad)

1 Calentar un wok, añadir el aceite, saltear las verduras en juliana y los champiñones de 2 a 3 minutos. Sacar con una espumadera y reservar.
2 Poner la pasta de curry en el wok y calentar 1 minuto. Verter la leche de coco y el caldo. Llevar a ebullición, echar los fideos y las gambas, bajar el fuego y cocinar 4 minutos, hasta que las gambas se hagan por dentro. Añadir las verduras y servir.

• Cada ración contiene: 327 kcal, 16 g de proteínas, 32 g de carbohidratos, 17 g de grasas, 10 g de grasas saturadas, 4 g de fibra, 4 g de azúcar añadido y 0,97 g de sal.

Cuando pienses que no tienes nada en casa para hacer de postre, procura acordarte de este pudin. Está tan rico como el pudin clásico pero es más fácil de preparar.

El pudin de pan más sencillo de la historia

600 g de crema inglesa (o natillas)
150 ml de leche
150 g de pan blanco
50 g de pasas o cerezas secas
mantequilla para engrasar
5-7 cucharadas de azúcar extrafino

45 minutos • 4 raciones

1 Precalentar el horno a 120 °C. Batir la crema inglesa con la leche. Quitar la corteza al pan, cortar en triángulos, colocar en una fuente grande con las pasas o cerezas. Verter encima la crema y mezclar con cuidado para que todos los trozos de pan queden bien cubiertos. Engrasar ligeramente una fuente de horno con mantequilla y verter en ella la mezcla.

2 Cocer de 30 a 35 minutos, hasta que solo quede el centro de la crema sin cuajar. Esparcir por encima el azúcar procurando que cubra toda la superficie y poner bajo el grill de 1 a 2 minutos, hasta que el azúcar empiece a fundirse y caramelizarse.

• Cada ración contiene: 363 kcal, 7 g de proteínas, 64 g de carbohidratos, 11 g de grasas, 7 g de grasas saturadas, 1 g de fibra, 47 g de azúcar añadido y 0,57 g de sal.

Estas barritas son un perfecto tentempié para llevártelo como almuerzo, para un desayuno rápido o para tomar con una taza de café. En un recipiente hermético, pueden conservarse una semana.

Barritas de cereales con canela y bayas

100 g de mantequilla y un poco más
  para engrasar
200 g de avena en copos
100 g de pipas de girasol
50 g de semillas de sésamo
50 g de nueces picadas
3 cucharadas de miel
100 g de azúcar mascabado
1 cucharadita de canela molida
100 g de arándanos rojos o azules,
  o cerezas (o una mezcla)
  deshidratados

45 minutos • 12 raciones

1 Precalentar el horno a 140 °C. Engrasar y forrar la base de un molde de 18 cm x 25 cm. Mezclar los copos de avena, las semillas, las pipas y las nueces en una fuente y tostar en una placa de horno de 5 a 10 minutos.
2 Mientras tanto, calentar la mantequilla, la miel y el azúcar en una sartén, removiendo hasta que la mantequilla se funda. Añadir la mezcla con la avena en copos, la canela, las frutas deshidratadas y mezclar hasta que todos los copos estén bien cubiertos. Poner en el molde, apretar ligeramente y hornear 30 minutos. Dejar enfriar en la fuente y cortar en 12 barritas.

• Cada barrita contiene: 294 kcal, 6 g de proteínas, 30 g de carbohidratos, 17 g de grasas, 6 g de grasas saturadas, 3 g de fibra, 17 g de azúcar añadido y 0,14 g de sal.

No tires los plátanos demasiado maduros: úsalos para preparar este delicioso pastel. Es perfecto para tomar con una taza de té o café en cualquier momento del día.

Pastel de plátano con crujiente de nueces

250 g de azúcar extrafino

250 g de harina con levadura

150 g de nueces pacanas, nueces
    o avellanas picadas

1 cucharada de mantequilla en trozos

2 huevos batidos, más 2 claras
    de huevo

3 plátanos grandes maduros, triturados

150 ml de aceite de girasol

100 ml de leche

1 cucharadita de canela

1 cucharadita de levadura en polvo

1 hora y 20 minutos • 10 raciones

1 Precalentar el horno a 160° y forrar un molde de pastel de 20 cm con papel para hornear. Mezclar 2 cucharadas de azúcar y otras 2 de harina y 2 de nueces; añadir la mantequilla y trabajar hasta formar migas para la cobertura.
2 Montar las claras de huevo. Mezclar los huevos enteros con los plátanos, el aceite y la leche. En un cuenco grande, mezclar el azúcar, la harina y las nueces restantes con la canela y la levadura. Echar la mezcla de los plátanos a los ingrediente secos y mezclar rápido. Incorporar las claras montadas y verter la mezclar en el molde. Esparcir por encima la cobertura de nueces y hornear 1 hora. Si se tuesta muy rápido, pasados 45 minutos, cubrir con papel.
3 Dejar en el molde 5 minutos y enfriar sobre una rejilla.

• Cada ración contiene: 476 kcal, 6,6 g de proteínas, 56,2 g de carbohidratos, 26,6 g de grasas, 3,9 g de grasas saturadas, 1,9 g de fibra, 36 g de azúcar añadido y 0,5 g de sal.

Este postre tiene todo el sabor de un pastel de frutas especial
y es muy rápido de hacer. La manzana rallada le da una textura
húmeda y apetitosa.

Pastel de manzana y pasas

200 g de mantequilla a temperatura
    ambiente y un poco más para
    engrasar
200 g de azúcar mascabado oscuro
3 huevos batidos
1 cucharada de melaza oscura
200 g de harina con levadura
2 cucharaditas de especias variadas
1 cucharadita de levadura en polvo
2 manzanas ralladas (de unos 100 g
    cada una)
300 g de pasas sultanas y pasas de
    Corinto mezcladas

1 hora • 12 raciones

1 Precalentar el horno a 160 ºC. Engrasar y forrar el fondo de un molde redondo de 20 cm de diámetro con papel para hornear. Batir los primeros siete ingredientes en un cuenco grande con una batidora de mano eléctrica, hasta que la masa esté espesa. Incorporar con cuidado las pasas y las manzanas.

2 Echar la mezcla en un molde y hornear entre 50 minutos y 1 hora, hasta que el pastel esté dorado y esponjoso y se haya separado de los bordes del molde ligeramente. Glasear, si se quiere, cuando se enfríe por completo. Puede guardarse en un recipiente hermético hasta una semana o congelado sin glasear hasta un mes.

• Cada ración contiene: 350 kcal, 4 g de proteínas, 51 g de carbohidratos, 16 g de grasas, 9 g de grasas saturadas, 1 g de fibra, 18 g de azúcar añadido y 0,63 g de sal.

Este pastel hecho a la antigua usanza es perfecto para tomar
con la merienda o como postre.

Pastel de manzana con especias

150 g de mantequilla a temperatura
    ambiente
200 g de azúcar extrafino
2 huevos batidos
200 g de harina con levadura
½ cucharadita de clavos molidos
¼ cucharadita de nuez moscada
    rallada
450 g de manzanas reineta peladas
    y cortadas en rodajas gruesas
azúcar glas para decorar

2 horas • 12 raciones

1 Precalentar el horno a 160 °C. Engrasar y
forrar un molde para tarta de 20 cm de diámetro.
Poner la mantequilla y el azúcar en un cuenco
grande, y batir hasta obtener una crema pálida.
Incorporar los huevos, sin dejar de batir y poco a
poco, hasta que la mezcla quede ligera y
esponjosa. Mezclar la harina con los clavos y la
nuez moscada, e incorporar a los huevos.
2 Extender la mitad de la masa sobre el fondo
del molde y cubrir con las rodajas de manzana.
Echar el resto de la masa sobre las manzanas
y hornear durante 1 hora y media, hasta que al
pinchar un palillo en el centro salga limpio. Por
encima se dorará bastante antes de hacerse por
el centro. Dejar enfriar el pastel en el molde
(puede hundirse un poco) y espolvorear el azúcar
glas por encima antes de servir.

• Cada porción contiene: 238 kcal, 3 g de proteínas,
34 g de carbohidratos, 11 g de grasas, 6 g de grasas
saturadas, 1 g de fibra, 22 g de azúcar añadido y
0,37 g de sal.

Hacer pan resulta muy sencillo y te permite recortar la factura de la compra. Puedes doblar o triplicar la receta sin problema, y congelar el pan de molde que te sobre.

Pan blanco de molde

500 g de harina blanca de fuerza y un poco más para amasar y enharinar
7 g de levadura rápida
1 cucharadita de sal
hasta 350 ml de agua tibia
un poco de aceite de girasol para engrasar

1 hora, más el tiempo para que la masa suba • 16 rebanadas

1 Poner la harina, la levadura y la sal en un cuenco grande y hacer un hueco en el medio. Verter la mayoría del agua y mezclar hasta obtener una masa ligeramente húmeda. Poner sobre una superficie enharinada y amasar 10 minutos, hasta que la masa esté elástica. Poner en una fuente engrasada con aceite, cubrir y dejar hasta que doble su tamaño.
2 Precalentar el horno a 200 °C. Amasar de nuevo. Darle forma de una pelota de rugby y colocar en un molde de pan de 900 g. Tapar con un trapo y dejar que suba. Espolvorear un poco de harina y hacer cortes en la parte superior. Hornear 15 minutos. Bajar la temperatura a 170 °C y hornear 30 minutos, hasta que la masa esté dorada y suene a hueco al sacarla del molde y golpear la base. Enfriar sobre una rejilla.

• Cada rebanada contiene: 111 kcal, 4 g de proteínas, 24 g de carbohidratos, 1 g de grasas, 0 g de grasas saturadas, 1 g de fibra, 1 g de azúcar añadido y 0,31 g de sal.

Añade semillas, frutos secos y harina integral a la masa básica y conseguirás un pan muy saludable. Consérvalo en un recipiente hermético (hasta 3 días) o congélado.

Pan de frutos secos y semillas

100 g de semillas variadas (por
    ejemplo) de lino, de cáñamo,
    de sésamo y pipas de calabaza,
500 g de harina de fuerza integral
7 g de levadura rápida
1 cucharadita de sal
50 g de nueces en trozos
hasta 350 ml de agua tibia
un poco de aceite de girasol para
    engrasar

1 hora, más el tiempo para que la masa
suba • 12 rebanadas

1 Reservar una cucharada de la mezcla de semillas, mezclar todos los ingredientes secos en un cuenco grande y hacer un hueco en el medio. Añadir las semillas y las nueces. Verter el agua y mezclar hasta obtener una masa ligeramente húmeda. Amasar sobre una superficie enharinada 10 minutos o hasta que la masa esté homogénea y elástica. Poner en una fuente engrasada con aceite y dejar hasta que doble su tamaño. Rodar la masa sobre las semillas restantes, pasar el pan a una bandeja y dejar reposar 30 minutos, hasta que doble su tamaño.

2 Precalentar el horno a 200 ºC. Hornear el pan 15 minutos, bajar la temperatura a 170 ºC y hornear 30 minutos más, hasta que suene hueco al golpearlo en la base. Enfriar sobre una rejilla.

• Cada rebanada contiene: 172 kcal, 7 g de proteínas, 28 g de carbohidratos, 4 g de grasas, 1 g de grasas saturadas, 5 g de fibra, 1 g de azúcar añadido y 0,43 g de sal.

Estos bollitos te van a encantar tanto para desayunar, como para llevártelos al trabajo en una fiambrera. El secreto es dejar de mezclar los ingredientes antes de que lo que parecería necesario.

Bollos de queso cheddar y beicon

1 cucharadita de aceite y un poco más
  para engrasar
4 lonchas de beicon troceadas
50 g de queso cheddar curado
175 g de harina
1 cucharadita de levadura en polvo
1 cucharadita de mostaza inglesa
2 huevos
100 g de mantequilla fundida
200 ml de leche
1 cucharada de perejil picado

40 minutos • 6 bollos grandes

1 Precalentar el horno a 160 ºC y engrasar 6 moldes para magdalenas con aceite.

2 Calentar el aceite en una sartén y freír el beicon hasta que esté crujiente. Poner sobre papel de cocina y dejar que se enfríe. Cortar dos tercios del queso en trocitos y rallar finamente el resto.

3 Tamizar la harina, la levadura, ½ cucharadita de sal y un poco de pimienta en un cuenco. Batir la mostaza, los huevos, la mantequilla y la leche. Verter la mezcla húmeda en la seca y remover unas cuantas veces, solo hasta mezclar. Añadir el beicon, los trozos de queso y el perejil, con cuidado de no trabajar en exceso la masa.

4 Echar en los moldes engrasados (quedarán muy llenos), esparcir un poco de queso por encima y hornear 15 minutos, hasta que los bollos estén dorados y hayan subido.

• Cada bollo contiene: 322 kcal, 12 g de proteínas, 25 g de carbohidratos, 20 g de grasas, 11 g de grasas saturadas, 1 g de fibra, 2 g de azúcar añadido y 1,63 g de sal.

No resulta fácil encontrar productos sin gluten, pero para preparar este pastel la mayoría de los ingredientes que se necesitan son baratos y habituales.

Pastel de limón sin gluten

200 g de mantequilla a temperatura
    ambiente y un poco más para
    engrasar
200 g de azúcar extrafino
4 huevos
175 g de almendras molidas
250 g de patatas trituradas frías
la ralladura de 3 limones
2 cucharaditas de levadura en polvo
    sin gluten

PARA LA COBERTURA
2 cucharadas de azúcar granulado
el zumo de 1 limón

1 hora y 10 minutos • 8-10 raciones

1 Precalentar el horno a 160 ºC. Engrasar y forrar un molde de pastel redondo de 20 cm. Batir juntos el azúcar y la mantequilla hasta obtener una crema ligera y espumosa. Añadir, uno a uno, los huevos sin dejar de batir. Incorporar las almendras, las patatas, la ralladura de limón y la levadura.

2 Verter la mezcla en el molde y nivelar la parte superior; hornear de 40 a 45 minutos, hasta que esté dorado y al pinchar un palillo en el centro salga limpio. Volver sobre una rejilla y dejar enfriar 10 minutos.

3 Mezclar el azúcar granulado y el zumo de limón, y echar sobre el pastel dejando que gotee por los lados. Cortar en porciones cuando esté completamente frío.

• Cada ración contiene: 514 kcal, 9 g de proteínas, 41 g de carbohidratos, 36 g de grasas, 2 g de grasas saturadas, 2 g de fibra, 35 g de azúcar añadido y 0,88 g de sal.

Este pastel rústico se basa en una receta toscana y es una original manera de aprovechar las uvas. Te encantará si lo tomas tibio y acompañado de una bola de helado.

Pastel de uvas

175 ml de aceite de oliva y un poco más para engrasar

200 g de harina y 1 cucharada para enharinar

200 g de azúcar mascabado ligero

100 g de mantequilla a temperatura ambiente

3 huevos

la ralladura de 1 naranja

la ralladura de 1 limón

75 ml de leche

1 cucharadita de levadura en polvo

175 g de uvas partidas por la mitad y sin semillas

4-5 cucharaditas de azúcar moreno

1 hora • 8-10 porciones

1 Precalentar el horno a 160 °C. Engrasar un molde de 23 cm con base removible, echar 1 cucharada de harina y esparcir bien para cubrir el molde. Eliminar el exceso de harina. Batir el azúcar y la mantequilla hasta obtener una mezcla cremosa. Añadir los huevos de uno en uno y agregar la ralladura de naranja y limón. Mezclar la leche y el aceite de oliva, y añadir a la masa. Incorporar la harina y la levadura. Batir todo junto brevemente hasta que la masa quede uniforme.

2 Verter la masa de pastel en el molde preparado y nivelar la superficie con el dorso de una cuchara. Esparcir las uvas partidas por la mitad y espolvorear un poco más de azúcar por encima. Hornear de 45 a 50 minutos, hasta que al pinchar un palillo en el centro del pastel salga limpio. Puede comerse tibio o frío.

• Cada porción contiene: 574 kcal, 6 g de proteínas, 62 g de carbohidratos, 33 g de grasas, 10 g de grasas saturadas, 1 g de fibra, 39 g de azúcar añadido y 0,49 g de sal.

Con un buen cacao en polvo, conseguirás que este pastel familiar el mejor sabor a chocolate, y resulta mucho más barato que usar un chocolate con un 70 por ciento de cacao.

Pastel mármol de chocolate

225 g de mantequilla a temperatura ambiente
225 g de azúcar extrafino
4 huevos
225 g de harina con levadura
3 cucharadas de leche
1 cucharadita de extracto de vainilla
2 cucharadas de cacao en polvo tamizado

1 hora y 10 minutos • 8 raciones

1 Precalentar el horno a 160 ºC. Engrasar y forrar un molde de pastel de 20 cm. Batir la mantequilla con el azúcar. Añadir los huevos de uno en uno y mezclar bien. Incorporar la harina, la leche y el extracto de vainilla, y mezclar hasta que la masa quede homogénea.

2 Repartir la masa en dos cuencos. Añadir el polvo de cacao en una de ellas. Alternar la masa de pastel de chocolate y de vainilla en el molde de pastel. Después de echar toda la masa, golpear la base del molde sobre la superficie de trabajo para eliminar las burbujas de aire. Introducir un palillo en la masa y girarlo para conseguir el efecto mármol.

3 Hornear de 45 a 55 minutos, hasta que al pinchar un palillo en el centro salga limpio. Poner sobre una rejilla y dejar enfriar.

• Cada ración contiene: 468 kcal, 6 g de proteínas, 52 g de carbohidratos, 27 g de grasas, 16 g de grasas saturadas, 1 g de fibra, 31 g de azúcar añadido y 0,81 g de sal.

Este pastel especial es perfecto para acompañar el café o un postre delicioso servido templado y con una bola de helado. Si no tienes jarabe de arce prueba a servirlo con un poco de caramelo.

Pastel de caramelo y nueces pacanas

300 g de nueces pacanas partidas por la mitad
150 g de dátiles deshuesados
200 g de mantequilla a temperatura ambiente y un poco más para engrasar
200 g de azúcar mascabado ligero
1 cucharadita de especias variadas
4 huevos batidos
150 g de harina con levadura
jarabe de arce para acompañar

55 minutos • 8 raciones

1 Triturar 100 g de nueces en un robot de cocina. Reservar.
2 Poner los dátiles en un cazo pequeño con suficiente agua para cubrirlos, hervir 5 minutos hasta que estén blandos; escurrir y triturar en el robot.
3 Precalentar el horno a 140 °C. Engrasar y cubrir con papel un molde redondo de 20 cm. Batir la mantequilla, el azúcar y las especias hasta obtener una crema ligera, añadir los dátiles, las nueces molidas, los huevos y una pizca de sal. Batir para que la masa quede homogénea.
4 Incorporar la harina con una cuchara de metal; verter en el molde y nivelar la superficie. Espolvorear las nueces restantes por encima y hornear 40 minutos, hasta que suba y se dore. Servir templado con un generoso chorro de jarabe de arce o caramelo.

• Cada ración contiene: 692 kcal, 10 g de proteinas, 53 g de carbohidratos, 51 g de grasas, 16 g de grasas saturadas, 3 g de fibra, 39 g de azúcar añadido y 0,68 g de sal.

¡Los niños adoran esta receta!

Galletas de Smarties

350 g de harina
1 cucharadita de bicarbonato de soda
1 cucharadita de levadura
250 g de mantequilla a temperatura
    ambiente
300 g de azúcar extrafino
1 huevo batido
1 cucharadita de extracto de vainilla
80 g de Smarties

30 minutos • 10 galletas grandes

1 Precalentar el horno a 160 °C. Tamizar la harina, el bicarbonato, la levadura y una pizca de sal en un cuenco. Batir el azúcar y la mantequilla hasta obtener una crema ligera y esponjosa. Añadir el huevo y el extracto de vainilla. Poco a poco, incorporar los ingredientes secos tamizados hasta obtener una masa consistente.
2 Formar 10 bolas con la masa, colocarlas en placas de horno, separadas entre sí. Presionar varios Smarties en cada bola y aplanarlas ligeramente. Hornear 15 minutos hasta que empiecen a estar doradas. Esperar 2 minutos para que se endurezcan un poco y pasar a una rejilla para que se enfríen completamente. Pueden conservarse hasta tres días en un recipiente hermético.

• Cada galleta contiene: 253 kcal, 3 g de proteínas, 35 g de carbohidratos, 12 g de grasas, 7 g de grasas saturadas, 1 g de fibra, 22 g de azúcar añadido y 0,47 g de sal.

Con esta sencilla receta, podrás preparar un pastel esponjoso, ligero como una pluma. Si se trata de una ocasión especial, añádele nata fresca: el resultado será mejor que cualquier pastel que puedas comprar.

Pastel sándwich clásico

200 g de mantequilla a temperatura ambiente y un poco más para el molde
200 g de harina con levadura
1 cucharadita de levadura en polvo
200 g de azúcar extrafino
4 huevos
2 cucharadas de leche
azúcar glas para cubrir

PARA EL RELLENO
150 ml de nata para montar
50 g de azúcar extrafino
½ cucharadita de extracto de vainilla
100 g de mermelada de fresa

40 minutos • 8 raciones

1 Precalentar el horno a 160 °C. Engrasar y forrar dos moldes redondos de 20 cm con papel de horno, y volver a engrasar ligeramente.
2 Tamizar la harina y la levadura en un cuenco grande; añadir los demás ingredientes. Con una batidora eléctrica, batir hasta que la masa quede homogénea. Repartirla entre los moldes de pastel y hornear de 20 a 25 minutos, hasta que la masa esté esponjosa y dorada. Cuando se enfríen lo suficiente para manipularlos, sacar los pasteles de los moldes y dejar enfriar completamente en una rejilla.
3 Para preparar el relleno, batir la nata con el azúcar extrafino y el extracto de vainilla hasta montarla. Extender por la parte superior de un bizcocho la mermelada, y por el otro, la nata. Juntar ambas partes y espolvorear el azúcar glas por encima.

• Cada ración contiene: 568 kcal, 7 g de proteínas, 62 g de carbohidratos, 34 g de grasas, 20 g de grasas saturadas, 1 g de fibra, 43 g de azúcar añadido y 0,94 g de sal.

Índice

214   Índice

Créditos de fotografías y recetas

La revista BBC *Good Food* y BBC Books desean expresar su agradecimiento a las siguientes personas por haber proporcionado las fotografías de este libro. Aunque nos hemos esforzado al máximo por rastrear y acreditar a todos los fotógrafos, queremos pedir disculpas en caso de que haya algún error u emisión.

Marie-Louise Avery p. 83; Peter Cassidy p. 91; Jean Cazals p. 87; David Grennan p. 35, p. 37, p. 43, p. 77, p. 199; Gareth Morgans p. 13, p. 17, p. 23, p. 25, p. 27, p. 31, p. 45, p. 49, p. 63, p. 67, p. 73, p. 75, p. 93, p. 113, p. 115, p. 117, p. 121, p. 123, p. 125, p. 133, p. 141, p. 143, p. 145, p. 149, p. 151, p. 181, p. 187, p. 209; David Munns p. 19, p. 29, p. 33, p. 65, p. 79, p. 85, p. 95, p. 97, p. 101, p. 103, p. 105, p. 131, p. 163, p. 165, p. 167, p. 171, p. 195, p. 197, p. 211; Myles New p. 11, p. 41, p. 47, p. 51, p. 53, p. 55, p. 57, p. 59, p. 61, p. 129, p. 135, p. 147, p. 155, p. 179, p. 183, p. 189; Lis Parsons p. 15, p. 69, p. 71, p. 81, p. 89, p. 107, p. 109, p. 111, p. 119, p. 127, p. 137, p. 139, p. 177, p. 201; Brett Stevens p. 159; Yuki Sugiura p. 99, p. 169; Philip Webb p. 21, p. 153, p. 157, p. 161, p. 173, p. 174, p. 203, p. 205, p. 207.

Todas las recetas de este libro han sido creadas por el equipo editorial de *Good Food* y los colaboradores habituales de la revista.